Ystumllyn

Cyfrinachau YSTUMLLYN

Catherine Roberts

ISBN 978-1-913996-62-8

Cyhoeddwyd gyda chymorth ariannol
Cyngor Llyfrau Cymru.
Cyhoeddwyd gan:
Gwasg y Bwthyn, 36 Y Maes, Caernarfon,
Gwynedd LL55 2NN
post@gwasgybwthyn.cymru
www.gwasgybwthyn.cymru
01558 821275

Diolchiadau

Diolch yn fawr i aelodau staff Llyfrgell Genedlaethol Cymru, Adran Archifau Coleg Prifysgol Cymru Bangor, Archifdai Dolgellau a Chaernarfon, Llyfrgell Llangefni, Coleg yr Iesu Rhydychen, Coleg Crist Caergrawnt, Society of Genealogists Llundain, National Maritime Museum Llundain, Cadeirlan Henffordd, Country Record Office Cambridge, Public Record Office Kew, Hereford and Worcester County Record Office, Guildhall Library Llundain a La Biblioteca di Venezia pan oeddwn ar berwyl ymchwilio.

Diolch i Rhian Parry am ei harweiniad ffyddiog, ac i Alun Jones am ei sylwadau gwerthfawr, doeth ar fy llawysgrif ar ddechrau'r daith.

Diolch i Margaret Jones am ei chwmni ar ymweliad â phlasty Ystumllyn flynyddoedd yn ôl.

Diolch i Barry Gregson-Allcott a Rhian Parry am fy hyfforddi'n amyneddgar-gyson ar sut i ddefnyddio fy ngliniadur bondigrybwyll a diolchaf i Neil Summers caredig am ddod i'r adwy yn ddigwyn sawl tro i ddatrys fy mhroblemau technegol-peiriannol.

Diolch i Gordon W. Taylor, ffotograffydd swyddogol Cadeirlan Henffordd, am ei frwdfrydedd a'i arbenigedd yn tynnu lluniau Eglwys y Drindod-Sanctaidd, Bosbury, beddfaen Humphrey Wynn yn ogystal â beddfaen yr Esgob Humphrey Humphreys yng Nghadeirlan Henffordd. Diolch, hefyd, i'r Parchedigion J. R. Hawkins a Mandy Williams ac Alison Young Bosbury. Fy niolch i

Felicity Myrone, British Library (Historical Pictures and Portraits) am ei chymorth hael.

Braf yw diolch am gymorth H. L. Baber, Parch. R. J. Maklin, Prifathro Kimbolton School (Kimbolton Castle gynt), I. G. Templeton Oswestry School, Conrad Swan, Rhian Haf, Arwyn Lloyd Hughes a Dennis Vaughan ar fanylion penodol.

Mae fy niolchiadau arbennig i Marred Glynn Jones a Meinir Pierce Jones, Gwasg y Bwthyn am eu hymroddiad hynaws, dyfal ar hyd y daith. Mawr ddiolch, hefyd, i Fiona Williams, swyddog marchnata'r wasg, i Olwen Fowler am ddylunio'r clawr, i Dylan Williams am ei ofal yn cysodi'r gwaith ac i holl aelodau staff Gwasg y Bwthyn.

Catherine Roberts
Llandegfan, 2023

Cynnwys —

1: Dyddiadur 1820

Ar fwrdd y 'Fides'
12 Tachwedd

Mordaith dra hwylus i Buenos Aires. Sbel fach yno cyn ailgychwyn. Ymlaen â ni.

Gwynt teg SSW. Awyr yn gymylog. Y môr yn eithaf tawel. Dim ond ychydig o swel. Yr hwyliau oll i fyny. Cip ar yr haul ganol dydd. Yn oer iawn.

4.00p.m. Lat. 53°41' S. Long. 58° 53' W.

Disgwyl cyrraedd yr Horn cyn bo hir.

Addewais yn rhyfygus un diwrnod roi'r hanes i lawr ar bapur pan ddeuai'r cyfle. Dyma'r cyfle . . .

Mordaith ddigon ddiamcan fu 'mywyd i tan y noswaith honno – y 5ed o Fehefin, 1808.

Nos Sul oedd hi. Roedden ni wedi gorffen llwytho ac yn disgwyl hwylio yn y bore bach drannoeth o Lerpwl. Dyma ddod ar draws y *First Mate* ar y dec. Roedden ni'n dau wedi hwylio'r moroedd sawl gwaith a gwyddai fy mod i'n hoffi canu, ac meddai gan gyfeirio at sgwrs gawson ni yn gynharach yn y dydd, 'Wel, wyt ti am ddŵad, Lewsyn? Ty'd yn d'laen! Chei di ddim canu fath â gei di heno nes down ni'n ôl, wsti.'

A dyna sut y bu i mi, greadur mwyaf swil y ddaear 'ma yr adeg honno, landio yng nghanol cwmni o Annibynwyr a arferai addoli yn y Gymraeg bob nos Sul yng Nghapel y Tabernacl. Yn eistedd wrth fy ochr i roedd merch ifanc, lygatddu, ddel, plwc dros ei deunaw oed, efallai ychydig yn hŷn, Nelw. Ar ôl y gwasanaeth, sgwrsio fuon ni a gofynnais iddi ddod efo mi am dro.

Noson dawel, fawr o wynt, a blew geifr ar wasgar yn y gorllewin.

'Ydi hi'n addo tywydd braf?' gofynnodd.

'Ydi, mae hi. Rwyt ti wedi cael lliw haul da,' edmygais, wrth sylwi ar ei breichiau noeth.

Chwarddodd. 'Diolch. Wedi bod allan yn yr ardd ydw i, yn gwneud fy ngwaith gwnïo. Mi fydda Mam yr un fath – wrth ei bodd yn yr haul. Pryd ydach chi'n disgwyl hwylio, Llew Morgan?'

'Efo'r wawr yfory.'

'O, fory!'

'Ia.'

'Sôn am y wawr ydan ni ac yn edrych ar y machlud.'

'Wel ia, yntê.'

'Digwyddodd yr un peth i mi unwaith o'r blaen – yng Nghymru.'

'Do wir?'

'Do. Dwi'n cofio mynd efo Mam i weld Nain. Yr unig dro i mi ei gweld hi. Roedd tŷ Nain bron ar lan y môr a'r haul y noson honno i'w weld yn machlud fel sofren fawr felen o ffenest y gegin. Ninnau wrthi'n cael tamaid o swper. Yn sydyn dyma Nain yn dweud, 'Gweld y wawr oedden ni o Ystumllyn.'

'Ble, Nain?' meddwn i.

Cyn i mi fedru holi 'chwaneg dyma Mam yn dweud yn reit siarp, 'Os wyt ti wedi gorffen dy swper, Nelw, mae'n well i ti fynd i dy wely.' Mi es i. Ond mi gofiais yr enw. Peth rhyfedd fel mae ambell enw yn aros yn y cof, yntê, Llew Morgan?'

'Wel, ia.'

'Wn i ddim ble mae'r lle. Rhyw wyth oed oeddwn i ar y pryd a does gen i neb ar ôl bellach i'w holi.'

'Mae gen i syniad ble mae Ystumllyn,' meddwn i.

'Mi wyddoch chi ble mae'r lle?'

Cofiaf ei llygaid du yn syllu arnaf.

'Rhywle yn ymyl Cricieth mae o. Mae gen i frith gof o 'mherthnasa yng Nghaergybi yn sgwrsio – fel y byddwn ni yn Sir Fôn yn parablu pymtheg y dwsin am bob peth dan haul unwaith y dechreuwn ni – ia, sgwrsio roedden ni fel y bu i William Tollydd dderbyn llythyr odd' wrth ei frawd, Lewis Morris, yn crybwyll enw'r lle. Roedd rhywbeth anghyffredin ynglŷn â'r fan. Fedra i ddim cofio be oedd yn ei boeni. Ond ia, Ystumllyn oedd yr enw. Heb fod ymhell o Gricieth.'

'Tewch â dweud!' synnodd Nelw. 'Chi ydi'r unig un, yr unig un, Llew Morgan, sy wedi medru deud wrtha i ble mae'r lle. Mae'r enw wedi bod fel tiwn gron yn fy mhen i er pan glywais i amdano,' gwenodd arnaf. 'Wrth wnïo i Mrs. Asserson mi fydda i'n dychmygu sut le ydi o. Plasty hardd ar glogwyn, tyra uchel iddo a choron o gymyla aur uwch eu penna. Rhaeadr yn disgyn o ben y clogwyn ac enfys o'i gwmpas o, a lot o ganu a siarad a hwyl a chwerthin. Rhamantus, yntê,' chwarddodd.

Yn ystod yr ychydig eiliadau hynny cynlluniais sut i ailgyfarfod â Nelw. Roedd hi wedi fy swyno. Cofiais fod hen gyfaill imi, Siôn Williams o Lanfihangel Ysceifiog, yn gweithio i William Alexander Madocks yn ardal y Gest. Gallai ef yn siŵr fy rhoi ar ben ffordd ynglŷn ag Ystumllyn.

Petrusais cyn awgrymu,

'Mynd yno fyddai'r peth gorau i'w wneud.'

'Ia debyg. Ond sut medra i wneud hynny?'

'Mi af i â chdi yno pan ddof yn f'ôl, os lici di.'

'O'r gora,' gwenodd arnaf. 'Mi fydda i'n edrych ymlaen at hynny.'

'Weli di'r pâr o wylanod acw sy'n troelli yn yr awyr, Nelw?'

'Gwelaf.'

'Cadw dy lygaid arnyn nhw. Maen nhw'n hedeg ar batrwm cylch.'

'Ydyn.'

'Mae'r ddau'n creu cylchoedd bach weithia a chylchoedd mwy dro arall. Weli di?'

'Mm, mm. Gwela.'

'A waeth pa mor agos neu pa mor bell yr awn nhw oddi wrth ei gilydd mae cylch hedfan y ddau yn dolennu bob troad.'

'Ydi wir! Ond dacw un yn creu cylch uwchben cylch y llall rŵan, Llew.'

'Ia, ond dal di i wylio. Mae'r un sy'n hedfan oddi tan y llall yn creu cylch ehangach fel bo'r naill yn dal i allu gweld y llall. Weli di, Nelw?'

'Gwela. Chwarae maen nhw, 'ntê?'

'Ia. Mwynhau yn siŵr iti . . . nesáu . . . dolennu'r cylch . . . pellhau . . . nesáu . . . dolennu'r cylch . . . pellhau . . . nesáu . . . dolennu'r cylch . . . pellhau . . . nesáu, dyna'r patrwm. Weli di?'

'Ia, hapus, yntê? Ond mae un wedi torri'r patrwm ac wedi mynd ar wib hir i gyfeiriad yr haul. O, maen nhw wedi colli ei gilydd!'

'Na, 'drycha. Mae'r llall wedi sylwi ac yn bwrw ei hun fel saeth i'r un cyfeiriad.'

‘O, mae’r cymylau wedi cau amdanyn nhw – sgwn i be ddigwyddodd?’

‘Gelli fentro, ble bynnag maen nhw, maen nhw efo’i gilydd.’

‘Dyna dda, yntê?’

Sgwrsio buon ni am hir. Clywais lawer am Mrs. Capten Asserson, lle’r oedd hi’n gweithio, ac am bobl y capel.

Roedd yr haul ar fin machlud. Anodd ffarwelio. Cofio dy wên. Cofio dy wallt du, cyrliog di. Cofio dy lais di a’r cellwair. ‘Os gweli di wylan yn dilyn y cwch fory, fi fydd hi, Llew.’

‘Reit, wylan fach.’

Codi hwyliau yn y bore bach digalon, llaith, drannoeth gan deimlo ’mod i’n cychwyn i wacter tragwyddoldeb.

11: Chwilio

1809. Aeth blwyddyn heibio cyn i mi lanio drachefn ar dir Prydain wedi gwireddu fy mreuddwyd a chael fy nghodi'n gapten, er i'r rhyfel yn erbyn Napoleon adael ei ôl arnaf. Ar y daith adref ymosododd y Ffrancwyr arnom ni a bu cryn frwydr rhyngom. Cyfnod yn Ysbyty Plymouth, wedi i mi gael fy nghlwyfo, ac ymhen hir a hwyr cyrraedd Lerpwl fis Tachwedd i chwilio am Nelw.

Darganfûm gartref Mrs. Captain Asserson yn Lerpwl lle bu Nelw'n gwnïo. Cyflwynais fy hun gan egluro fy neges. Cefais groeso a chynnig gwydryn o *sherry*. Amlwg bod y teulu yn bur gyfoethog oherwydd, 'ddyliwn i, fod ei gŵr yn berchen ar nifer o longau oedd yn hwylio yn ôl ac ymlaen o Affrica i India'r Gorllewin ac yn dra adnabyddus. Roedd y tŷ'n foethus a'r gerddi'n lliwgar.

'Mae fy ngŵr yn *disciplinarian* cryf, wyddoch chi, Captain Morgan. Mae'n rhaid bod felly ar y teithiau anodd pan mae'r cargo yn *awkward*. Dwi'n sôn am *human cargo*, wrth gwrs. *Natives obstreperous*, wyddoch, yn gofyn am *approach* llym. Ond fel mae fy ngŵr yn dweud, mae'r teithiau yn talu. Na, wn i ar y ddaear ble mae Nelw wedi mynd. *She left suddenly one day a few weeks ago*. Wedi bod lawr at y docia. *I don't know what she saw there.* Fues i 'rioed yno. *I wouldn't put a foot anywhere near! But she was quite upset when she returned*, a dywedodd fod yn rhaid iddi adael. *She gave in her notice*. A dyma fi rŵan yn gorfod ffeindio rhywun arall i wnïo i mi. *Not an easy task*, *you know, these days. She was a nice little girl, good at her work, liked sewing outside on the lawn* i deimlo gwres yr haul, *she used to say*. Peidiwch â thrafferthu mynd i holi amdani, Captain Morgan. *You won't get anywhere.*'

Yn bryderus, gadewais Mrs. Captain Asserson â'i siarad siprys. Bûm yn holi pobl y capel ond ofer pob chwilio a holi am Nelw. Ni wyddai neb mo'i hanes hi.

III: Ardal y Gest

Tachwedd 1809. Yn isel fy ysbryd penderfynais fod yn rhaid gwneud rhywbeth, dilyn yr unig drywydd oedd gennyf a thacio i gyfeiriad Ystumllyn. Yn gyntaf roedd yn rhaid galw heibio fy hen gyfaill, Siôn Sceifiog. Un o fy hen fêts oedd Siôn. Pan oedden ni'n llarpiau treuliem oriau efo'n gilydd gan gyfrif ein hunain yn dipyn o giamstars ar sgota mecryll, saethu cwningod a chrwydro'r wlad. Hel mwg i sachau oedd ein rhybuddio rhag mynd i'r fan a'r fan – mynd fydden ni! Ond dilyn llwybrau gwahanol ddaru ni wedyn.

Euthum i i'r môr ac yntau yn arddwr i Uxbridge ym Mhlas Newydd, Iarll Uxbridge. Un diwrnod cafodd Siôn gynnig gwaith fel garddwr i William Alexander Madocks a neidiodd at y cyfle.

Roedd hi'n ddiwedd mis Tachwedd pan gyrhaeddais ardal y Gest a Siôn erbyn hynny yn Oruchwyliwr i Madocks. Trewais arno yn ei swyddfa yn Ynys y Tywyn. Cefais fôr o groeso!

'Dew, sut hwyl, yr hen frodyn?'

'Wyt ti'n brysur, Sionyn?'

'At 'y ngwddw, 'ychan. Ond hidia befo, dwi'n falch iawn o dy weld ti. Glywaist ti am y morglawdd?'

Y morglawdd ar draws y Traeth Mawr, a'r pentref newydd, Tremadog, oedd yn mynd â'i fryd. Dysgais lawer ganddo am y cynlluniau a dangosodd fap imi er mwyn egluro'r manylion. Doedd Siôn fel arfer ddim munud yn llonydd – dyn troediog yn mynd ar ffilltith i bobman ac yn siarad fel melin bupur fel y bu erioed wrth frasgamu drwy gaeau, neidio cloddiau a dringo coed am y gorau efo'i ffrindiau. Roedd cyffro bob amser yng nghwmni Siôn. Eglurodd sut yr adeiladwyd morglawdd pridd i sychu darn o'r Traeth Mawr o Drwyn y Graig i Glog-y-berth gan ennill dros fil o aceri. Roedd cynlluniau Madocks yn herfeiddiol yn ôl Siôn: adeiladu morglawdd cerrig o Ynys y Tywyn i Drwyn Penrhyn – milltir o hyd i rwystro'r môr rhag llifo dros y Traeth Mawr. Ar ôl sawl cais aflwyddiannus, llwyddodd i gyflwyno deiseb o flaen y Senedd am ganiatâd i godi'r morglawdd!

'Ystumllyn?' meddai o'r diwedd ar ôl clywed fy nghais. 'Pam wyt ti isio mynd i fan'no? Oes rhaid i ti fynd fel gafr ar d'rana? Fedri di ddim aros noson? Mm? Wel, cym y llwybr ar hyd y glanna, yli, i ti gael gweld maint aruthrol y Traeth Mawr. Mi gei di syniad go lew wedyn wrth edrych yn ôl be sy'n mynd i ddigwydd yma efo'r morglawdd. Mae o'n syniad cyffrous, wsti, ac os llwyddwn ni mi fydd yn un o ryfeddodau'r byd! Mi ofynnaf i Huw Dafydd dy hebrwng di beth o'r ffordd. Mae o'n byw yn y cyfeiriad yna. Ond yn gynta mi awn ein dau i'r Fleece am homar o ginio. Rhyngot ti a dy botas wedyn.'

Dilyn llwybr y cei ddaru ni, Huw Dafydd a fi, dros Drwyn Cae Iago, i lawr heibio Tyddyn y Gest. Oddi yno, dringo'r allt i Ben Banc Uchaf. Dyna olygfa! O fan'no roedd y môr yn ei fawredd a'i ysblander fel brenin ar ei orsedd yn rheoli'r wlad . . . Serch hynny, yn forwr profiadol, gwyddwn yn burion am ei allu pwerus, milain, cuddiedig. Heb amheuaeth, yn wynebu Siôn a'i gyd-gredinwyr safai aruthr o dasg. Roedd hi'n anodd dirnad sut roedd modd i feidrolion di-sut adeiladu morglawdd a fyddai'n ddigon nerthol i ffrwyno'r fath fôr!

'O mi ddaw, 'ychi, Lewis Morgan,' meddai fy nghydymaith yn sur, 'mi ddaw. Cythral o waith ond mi ddaw. Mi gaiff yr William Alexander Madocks 'na 'i ffordd ei hun, caiff nen tad! Un penderfynol iawn ydi o, 'chi. Ac mi gaiff hawl ar y tiroedd o Ben Clogwyn y Gest hyd at Aberglaslyn ar ôl codi'r morglawdd uffar 'na. Ia, heb sôn, 'chi, am y bumed ran o'r wlad sy'n ffinio â'r tir hwnnw. Fo fydd bia hwnnw hefyd. Fath â tasa gynno fo ddim digon o eiddo! Prynu'r naill ffarm ar ôl y llall, Tu-Hwnt-i'r-Bwlch, Clog-y-Berth, Llidiard Ysbyty, Pen Clogwyn, Tan-yr-Allt! Ble mae 'i diwedd hi?'

'O ble gafodd Madocks y syniad o godi morglawdd, tybed?' gofynnais.

'Wel, mi ddeuda i wrthoch chi. Cymryd yn 'i ben a'i bastwn ddaru o i gopïo rhyw ffwlbri o gynllun i adennill tir yn nwyrain Lloegar lle mae o'n Aelod Seneddol – Boston, Swydd Lincoln. Ia, a meddwl y medra fo wneud yr un peth efo'n môr ni yma. Cythral o beth, 'ychi, a deud y gwir. Ia. A wyddoch chi be arall mae'r senedd 'na sy gynnon nhw wedi'i benderfynu?'

Aeth Huw Dafydd yn ei flaen heb ddisgwyl imi ateb.

'Maen nhw wedi penderfynu mai fo, y Madocks 'na a'i ddisgynyddion, fydd bia'r gornal yma o Gymru am byth. Ia, am byth! Pa hawl sy gynnon nhw i wneud ffasiwn gebyst o benderfyniad, deudwch?'

'Oes 'na ddim pobol sy'n codi eu lleisia yn erbyn hyn i gyd?'

Ymlaen â ni dan gerdded, drwy'r condemnio.

'Wrth gwrs bod! Mae yna lot o broblema, wchi, ond mae o'n herio'r anawstera i gyd. Dyn felly ydi o. Penderfynol ar y naw. Tir comin ydi o wedi bod erioed a dyna ddyla fo fod. Ia! A dyna ddyla'r tir o dan y môr fod hefyd – tir comin. Ond dyna fo. Does 'na uffar o ddim byd allwn ni 'i wneud, nag oes? Mae pob peth wedi ei drefnu efo cyllall a fforc. Mi gewch wneud rhywbeth i siwtio'ch hun os ydach ch'n Aelod Seneddol o Sais, 'ddyliwn i.'

Fe'm gadawodd, gan chwifio'i fraich wrth ffarm y Garreg Wen a fy nghynghori i gadw at y lôn ar hyd y morfa 'lle bydd Madocks yn cynnal 'i rasys ceffyla uffar', nes deuwn i at eglwys fechan ar ben y bryn. 'O'r fan honno mi welwch chi Ystumllyn, Lewis Morgan, er wn i ddim pwy ddiawl fasa isio mynd i dwllu fan'no chwaith. Ia wel. Pawb at y peth y bo. Da boch chi rŵan!'

Roeddwn wedi cael hen ddigon ar gnewian y dyn – 'rhen grystyn . . . gwynt teg ar 'i ôl o.

Ymlaen â mi. Erbyn hyn roedd tawch yn codi o'r morfa a'r awyr yn bygwth eira. Yn y pellter clywn gi yn udo. Ar ôl cyrraedd pen draw'r morfa plethai'r llwybr cul rhwng twmpathau isel, llwm o eithin a grug di-liw i fyny'r bryn. Roedd y wlad o 'nghwmpas i'n oer a llwyd a'r mynydd cyfagos yn mynd o'r golwg yn y niwl.

Daeth rhyw gryndod drosof a dyna frasgamu drwy fynwent ddigroeso yr eglwys nes cyrraedd ael y bryn. Sefais yno.

Roedd yr haul yn wan dros wlad Llŷn yn y pellter a blas eira ar y gwynt. Welwn i mo ben fy nhaith. Gwelwn lyn a thir corsiog a thu draw iddynt – dim, dim ond llwydni. Mentrais i lawr y llethr heibio i ffermdy gerllaw.

'Ei di ddim yn bell, gobeithio,' galwodd llais o ddrws y tŷ.

'Meddwl mynd i Ystumllyn,' atebais.

'Bobol annwyl!' Daeth y bugail yn nes ataf. 'Ystumllyn ddeudist ti? Na! 'Dei di ddim ffor'na, ddim heno. Mae hi'n beryg bywyd mynd ffor'na yn y gaea. Mae 'na lwybr sy'n croesi'r gors, wrth gwrs, at Eglwys Ynyscynhaiarn yn fan'cw,' pwyntiodd â'i ffon. 'Weli di hi? Na weli heddiw.

Wel, dacw goed Ystumllyn, yn y cysgod du 'cw ochor draw i'r llyn – Llyn Ystumllyn. Ond peth dwl fyddai cymryd y llwybr amser yma'r flwyddyn, wyst ti, 'rhen gors ydi'r gnawas. Mae 'na gannoedd o bylla diwaelod ynddi, amhosib i'w gweld nhw, 'machgen i. Mi llyncan nhw di'n fyw! Paid â mentro, da chdi. Fydda neb call yn mentro mynd. Mae pob croeso i ti aros heno efo ni.'

Rhyw greadur ystyfnig oeddwn i bryd hynny hefyd a dyma argyhoeddi'r bugail 'mod i'n bwriadu cyrraedd Ystumllyn y noson honno.

'Wel, cadwa at y traeth. Mi fydd y llanw ar drai yn isel heno. Dos lawr i draeth y Greigddu a heibio troed Craig yr Eryr nes dod at godiad tir tu draw i'r dyffryn. Yna troi fyny am y tir a'r llyn a dilyn y llwybr. Wel wir, 'machgen i, fedra i 'mond dymuno'n dda i ti. Mae gen ti dipyn go lew o ffordd i fynd. Dos gynta medri di cyn iddi nosi.'

Diolchais iddo, yr hen ŵr caredig.

Roedd hi'n pluo bwrw eira erbyn i mi gyrraedd y Greigddu a'r haul yn rhewi'n isel ar y gorwel. Doedd gen i fawr o ffordd eto, cysurais fy hun, rhyw filltir neu ddwy fan bellaf. Dyfal donc a dyr y garreg. Â chastell Cricieth yn syth o 'mlaen i, rhyngof fi a'r haul, gwaith hawdd oedd dal ati. Allwn i ddim methu.

Ond roedd hi'n fwy o sialens nag a dybiais. Trodd y gwynt ac wrth i mi rowndio Craig yr Eryr hyrddiodd *sou'wester* cryf yn f'erbyn. Disgynnai'r eira yn blu mân pigog ac ymhen dipyn diflannodd y castell yn gyfan gwbl o'r golwg, dim boban ohono! Roedd y gwynt yn sgybyrlachu'r eira i bob cyfeiriad gymaint fel na wyddwn i ddim yn sicr ble'r oeddwn i pan drois yn ddifeddwl am y tir, ond cefais wybod yn bur fuan pan suddais at fy mhengliniau i mewn i'r gors nes 'mod i'n drybola o fwd.

Cefais fraw. Er 'mod i'n llongwr profiadol, ar y môr ers

pan oeddwn i'n bedair ar ddeg oed, yn saith ar hugain oed bellach ac yn chwe throedfedd, cefais fraw – homar o fraw fuasai Siôn Sceifiog yn ei ddweud . . . Beth bynnag, roedd yn rhaid i mi wedyn ailddarganfod y traeth ac ymlwybro ymhellach i ddannedd y gwynt dieflig a'r eira cyn rhoi ail gynnig arni i ymbalfalu yng nghanol y ddrycin. Roedd hi'n nosi a phob man mor llwyd â llymru. O'r diwedd, des ar draws y llwybr twyllodrus a'm tywysodd yn ebrwydd i mewn i'r tir. Teimlwn yn eithaf diflas gan edifarhau na fuaswn wedi derbyn croeso'r bugail caredig.

Yn sydyn, o'r niwl ymddangosodd Llyn Ystumllyn fel darn o farmor du a chyn bo hir daeth cysgod trwm y plasty i'r golwg hefyd. Mor llwm oedd y lle. Roeddwn wedi fferru, yn wlyb at fy nghroen fel sbangi, yn fwdlyd ac yn lluddedig er na sylwais ar hynny yn gymaint nes dod o fewn llathenni i'r adeilad. Wrth guro ar ddôr dderw fawr teimlwn fy hun yn disgyn. Clywais sgrech a llais dynes yn gweiddi, 'Y nefoedd fawr, Seth! Seth! Mae 'ma ddyn wedi hannar marw yn y drws!'

Cythrodd rhywun ataf cyn y medrwn ddweud gair a chefais fy nghodi fel swp o wymon a'm taflu dros ysgwydd trosol o ddyn mawr, nes fy mod yn edrych i lawr ar wyneb brawychus y wraig agorodd y ddôr i mi. Dilynodd ni i mewn i'r tŷ. Cefais fy ngosod ar setl. Craffodd y ddau wyneb arnaf.

'Be 'dach chi'n neud yn fan'ma ar noson fel heno?' meddai un wrthyf.

Clywais fy llais fy hun yn gofyn o bellter maith, 'Ystumllyn?'

'Ia,' heriodd yr wyneb arall, 'dyma'r Stumllyn. Pam?'

'Diolch . . . ' A daeth rhyw dywyllwch drosof.

Yn gwbl ddiseremoni felly y deuthum i groesi rhiniog Ystumllyn am y tro cyntaf.

IV: Lusa Joseff

Pan ddois ataf fy hun sylweddolais 'mod i wedi fy lapio mewn carthen fawr, gynnes. Yng ngolau'r gannwyll gwelwn fy nillad yn sychu ar stôl haearn yn y grât a gwelwn wraig, ymhell dros ganol oed – wel, a dweud yn blaen fel un o Fôn, clewtan o ddynes nobl oedd hi, ei gwallt yn rholyn o blethen wen, bwt, y tu ôl i'w phen – yn eistedd gyferbyn â mi yn gweu hosan.

'Hm,' meddai gan grychu ei thalcen. 'Sut ydach chi'n teimlo rŵan?'

'Wel, braidd yn llegach ond yn llawar gwell, diolch i chi, Mrs . . . '

'Lusa Joseff ydi'r enw. Cymrwch lymaid o hwn,' meddai gan estyn gwydriad bach i mi oddi ar y bwrdd wrth ei hymyl. 'Brandi ydi o. Mi gynhesith chi.'

'Diolch.' Ufuddheais yn fodlon ddigon.

Aeth hithau ymlaen efo'r hosan.

'Mae Seth a fi wedi tynnu'ch dillad gwlyb chi ac wedi rhoi dillad isa sych a glân Seth amdanoch chi. Un o ble'r ydach chi?' holodd.

Eglurais mai Llew Morgan oedd fy enw, un o Fôn oeddwn a chyfaill i Siôn Williams, Goruchwyliwr Mr. Madocks.

'Hy, dyna chi. Mi ellwch ddweud wrth Mr. Madocks nad ydi'r Stumllyn ddim ar werth,' atebodd. 'Colli'ch ffordd ddaru chi?'

'Ia,' meddwn heb fanylu.

‘Yn wir i chi, mae’r Bod Mawr yn gofalu’n dyner drosoch chi, Llew Morgan, achos pe baech chi wedi cyrraedd chwarter awr yn hwyrach mi fasa Seth a minna wedi mynd o’ma. Eitha peth fydd i chi glwydo yma heno.’

‘Wel . . . ’

‘Fydda hi ddim yn hawdd i chi fynd o’ma beth bynnag achos mae yna drwch o eira wedi disgyn ers pan gyrhaeddoch chi gynna.’

‘Wel, diolch i . . . ’

‘Bobol, mi roesoch fraw i mi! Er nad ydi gweld ysbrydion yn Stumllyn yn beth diarth. Yn ystod y dydd mi fydda i’n reit hyderus yma, ond fel mae hi’n nosi a phob twll a chornal yn magu atgo, mi fydda i’n teimlo’n reit bethma. Dyna pam mae Seth, fy mab, yn dod draw i ’nanfon i adra.’

‘O, dydych chi ddim yn byw yma, felly, Lusa Joseff?’ gofynnais mewn cryn benbleth.

‘Bobol, nac ydw, ddim rŵan. Gofalu am Ystumllyn ydw i. Wel, cadw golwg ar betha tra mae’r perchennog i ffwrdd. Llnau a thacluso dipyn. Mae ’na hen bapura i’w llosgi ac ati – llanast nad ydi o’n dda i neb, rŵan, gan fod yr hen deulu i gyd wedi mynd. Mi fuoch ar y môr, Llew Morgan? Do. Ro’n i’n amau hynny wrth weld y tatŵ ’na ar eich corff chi, gynna. A’r hen anaf ’na ar y corff hefyd?’

‘Brwydro yn erbyn y Ffrancwyr.’

Tawodd hynny Lusa Joseff am funud neu ddau.

‘Gymrwch chi damaid o swper? Mae’n well i chi gymryd rhywbeth i’ch cynnal,’ argymhellodd fi.

Doedd dim dwywaith nad oedd Lusa Joseff yn un o’r rheiny nad oes taw arnynt, unwaith y cânt gynulleidfa sy’n barod i wrando, a chymaint fy mlinder fel mai amheuthun oedd eistedd yng ngwres y tân coch, cysurus heb orfod gwneud dim ond gwrando ar ei chlebar. I’r gwrthwyneb, ni ddywedasai Seth yr un gair wedi ei ebychiad cyntaf ac aethai allan i rywle.

Wrth baratoi llwyth o frechdanau cig i mi, chware teg iddi, sicrhaodd Lusa Joseff y cawn aros y noson honno yn Ystumllyn.

'Does yma ddim byd gwerth ei ddwyn,' ychwanegodd gan edrych yn slei arnaf ac ni wyddwn pa un ai cellwair oedd hi ai peidio, ond derbyniais y gwahoddiad yn ddiolchgar gan roi ychydig o hanes Madocks a'r morglawdd iddi.

Penderfynais beidio â dweud gwir ddiben f'ymweliad. Fy musnes i wedi'r cwbl oedd hynny, er na wyddwn i fy hun erbyn hynny beth mewn gwirionedd oedd y gwir reswm o dan y fath amgylchiadau â hyn.

Trodd y sgwrs at Bentre'r Gwaelod (Tremadog bellach). 'Fydd Penmorfa byth yr un fath,' oedd sylw Lusa Joseff. 'Mae'r ffair a'r farchnad wedi mynd i lawr yn sobor iawn ers pan gododd Madocks Bentre'r Gwaelod. Glywsoch chi enw'n swnio'n fwy chwithig erioed? Ond i fan'no mae pobol yn heidio rŵan. Daear bach. Yr hwyl fyddan ni yn 'i gael ers talwm yn ffair Penmorfa! Doedd mo'i gwell hi. Doedd ffair Dolgella a ffair Llanrwst yn ddim ond sioe bìn wrth ei hymyl hi, medda nhw. Ond dyna fo. Fel 'na mae hi. Mae'n amser i minnau 'i throi hi rŵan. Mi ddof draw yn y bora. Ble mae'r hogyn 'na wedi mynd, sgwn i? Seth! O, dyna ti. Dos i ddangos ble mae'r llofft uwchben y neuadd i Llew Morgan, wnei di? Mae o'n aros yma heno. Nos dawch, Llew Morgan! O, ewch â'r garthen i fyny efo chi. Nos dawch rŵan. Brysia ditha, Seth.'

Taflai golau'r gannwyll gysgodion oedd seithgwaith yn fwy na ni ar y pared wrth ddringo'r grisiau. Amneidiodd Seth yn sorllyd gan roi'r gannwyll i mi ar droad y grisiau. Yna diflannodd i lawr yn ei ôl.

Clywais ddôr y plasty yn cau. O ffenestr y llofft gwyliais y ddau yn gadael yn ddi-sôn drwy'r eira. Roedd y niwl yn clirio'n raddol. Gwelais yng ngolau'r lloer siâp Eglwys Ynyscynhaiarn a'r fynwent. Rhyngof fi a thu hwnt ymestynnai'r llyn. Roedd y gwynt wedi troi eto ac yn chwythu o'r dwyrain. Gwynt traed y meirw – sicrwydd y byddai'n rhewi'n galed drwy'r nos.

Sylwais fod y llofft yn ystafell eang. Roedd ynddi wely derw mawr a llenni o'i amgylch. Ar ganol y llawr safai bwrdd derw crwn a bwrdd llai wrth y pared efo dysgl a jwg arno. Yn hongian ar un o'r muriau, ac yn ei lwyr orchuddio, yr oedd hen dapestri anferth. Synhwyrais ryw ddistawrwydd anniddig yno fel pe bai cyfrinachau'r blynyddoedd yn llechu yng ngwead y lle ac yn ysu am gael eu rhyddhau. Roedd yn hwyr glas gen i gael gorwedd a gorffwys, ond ni allwn i gael gwared ar y teimlad bod yma ryw rym rhyfedd yn gogor-droi yn araf amdanaf fel rhwyd, er mwyn fy nghadw i yno ynghlwm wrth Ystumllyn am byth.

Roedd hi'n ddistaw, ddistaw yn yr ystafell. Mae'n rhaid 'mod i wedi cysgu, am wn i. Yna, daeth y sŵn. Sŵn cwynfannus, isel. Yn ddim ond ochenaid. Es at y ffenestr a'i hagor. Clywn lais dolefus o drist. Llais yn chwyrlïo'n gylch ar ôl cylch yn yr eira . . . nesáu . . . dolennu . . . pellhau . . . nesáu . . . dolennu . . . pellhau . . . pellhau . . . pellhau . . . mor angerddol o hiraethus. Yna, dim. Dim ond eira'n disgyn. Nelw! Ble'r wyt ti? Siwrnai seithug arall gefais i'n chwilio amdanat ti. Beth yn y byd ydw i'n ei wneud yn yr honglad yma? Nid dy blasty hardd di sydd yma. Does yma yr un cwmwl aur uwchben yr un tŵr na dim arlliw o liwiau'r enfys yn unlle. Dim miwsig. Dim siarad. Dim canu. Dim. Dim ond distawrwydd llethol.

Roedd hi'n affwysol o oer.

Methais ag ailafael yn fy nghwsg. Es i lawr i'r gegin a phrocio'r marwydos a chynnau dwy gannwyll. Eisteddais yno yng ngwres yr aelwyd i gasglu fy meddyliau. Ymhen awran mi gynhesais a gweld y 'llanast' y soniasai Lusa Joseff amdano – bwndel o rwtsh, tybiais, wedi'i glymu mewn hen racsyn o wlanen goch yng nghornel yr ystafell.

Datodais ef. Mawr oedd fy syndod pan welais ei gynnwys. Roedd ynddo gannoedd o adluniau. Lluniau adar a phryfetach ac anifeiliaid, creaduriaid y gors a'r llyn a'r goedwig. Lluniau mân, mân o flodau'r gweunydd, mor fân â phe buasent wedi eu creu â blaen nodwydd. Roedd ynddo gasgliadau o gregyn, a blodau sychion prin eu lliwiau yn gorwedd rhwng tudalennau hen lyfrau Groeg a Lladin . . . Llythyrau . . . Cwlwm o rubanau arian, glas lliw lafant. Pâr o fenig lledr meddal, meddal ag ôl gwisgo arnynt. Gwyntyll frau, frau a darn o frodwaith wedi ei adael ar ei hanner.

Roedd y bwndel yn cynnwys dau hen ddyddiadur. Yn y mwyaf o'r ddau llifai llawysgrifen fawr, glir – yn fyrlymus a bywiog, ond yr oedd ansawdd y llall, y llyfr bach, yn hollol wahanol. Llyfryn bychan trwchus oedd o, anghyflawn, wedi ei bupro â gwallau sillafu a'r geiriau'n amrywio o ran maint. Amdano roedd rhuban porffor, hen a'r cyfan wedi ei drysori mewn poced o felfed lliw fioled, ysgafn, bron yn wyn.

Ond yr hyn a gipiodd f'anadl i oedd y llun bychan dwy fodfedd, hirgrwn o wyneb merch ifanc brydferth a thresi o wallt golau ganddi. Uwchben ei dwy glust roedd dau ruban du yn dal ei gwallt, a ddisgynnai dros ei hysgwyddau a gwisg las yn hanner cuddio y rheiny. *Miniature* cywrain mewn ffrâm aur, denau.

Penderfynais holi Lusa Joseff yn y bore ac felly, i ladd amser, es ati (er nad oedd o ronyn o 'musnes i) i ddarllen y ddau ddyddiadur a'r llythyrau a dynghedwyd i'w llosgi drannoeth.

V: Y Dyddiaduron

Fy Llyfr i
Catherine Wynn, Ystumllyn
Gwanwyn, 1691

Dydd Sul

Gofynnais i Mam heddiw, tybed a ydyw fy nau frawd bach yn ein gweld ni. 'Synnwn i ddim, wir, Cat,' meddai hi. 'Mi fyddan nhw'n canu yn y côr, mae'n siŵr. Dysga hon – un o benillion hen Ficer Llanymddyfri –

Ti gei eistedd mewn côr euraid
I glodfori'r Oen bendigaid,
Ac i ganu Aleliwia
Yn dragywydd i'r Gorucha.'

Dydd Llun

Aeth Wmffri yn ôl i'r ysgol i Fangor. Bydd El yn mynd yn ôl i Groesoswallt cyn bo hir er, nid yw fawr o gwmni, ac mae yn siarad Saesneg ar bob cyfle, hyd yn oed gyda mi weithiau ac ni wn i ddim i beth. Mae Tada yn dweud ei fod yn fachgen disglair ac yr aiff yn bell, am ei fod yn mynd i Goleg yr Iesu flwyddyn nesaf, debyg. A dyna Siôn wedyn mor brysur ym Mhwllheli yn dysgu mynd yn feddyg . . . Nid ydyw Mag ddim yn gwmpeini o fath yn y byd. Y mae hi'n ddwl fel postyn. Cymryd ei hamser mae hi, meddai Mam. Ond mae ei thrwyn hi yn wahanol i drwyn pob un ohonom ni ac yn ddi-siâp fath â thrwyn

Dewyth Owen, meddant hwy. Dyna lle mae hi y munud hwn yn pwyso'i thrwyn ar y ffenestr ac yn gwneud patrymau gyda blaen ei bys ar y gwydr. Bydd yn blino toc ac mi fydd yn rhaid i mi wedyn ei chadw yn ddiddig.

Mae Bobw ar lin Mam a'r ddau yn cysgu yn y gadair siglo. Mae gan Bobw frychni haul ar ei wyneb, fwy na fi, ac y mae'i wallt o'n gochach o lawer na'm gwallt i. Yr ydym ni ein dau yn tynnu ar ôl teulu Penyberth, meddai Tada.

Gwelodd El gath goed yn yr Ynys heddiw.

Dydd Mawrth

Gwelais i Mam yn crio bore yma a Tada yn gafael amdani a dyma hi'n fy ngweld i'n sefyll wrth y drws. 'Tyrd yma,' meddai a rhoi ei braich amdanaf. 'Cat, dos i ofyn i Malan os gei di roi help llaw i wneud cinio,' a gyda Malan y bûm i drwy'r bore. Mae Malan yn dweud mai hiraeth sydd ar Mam hefyd a bod fy mrodyr bach i yn chwarae yn y nefoedd ac yn hapus.

Hoffwn i fynd i Fangor i weld Wmffri, ond mae'n rhaid iddo gael llonydd i ddysgu i fynd yn offeiriad, meddai Malan.

Dydd Sul

Aeth pawb i Eglwys Ynyscynhaiarn fore heddiw ac aeth Tada i Eglwys Cricieth heno.

Dydd Llun

Mae El wedi cychwyn ar ei daith yn ôl i Ysgol Croesoswallt ac y mae yn bwrw glaw trwm.

Mis Mai: Bangor

Mae Tada a fi yma ers tridiau. Mae yn braf cael aros gyda Dewyth Esgob, tad Pegi. Yr ydwyf yn rhannu ystafell gyda Pegi sydd wedi dod draw o Fodewryd, lle mae hi a'i chwaer yn byw gyda'u modryb, chwaer eu mam, gan ei bod hi wedi marw. Mae Pegi, fy nghyfneither, yn dod draw i Fangor bob wythnos, meddai hi, i weld ei thad, gan ei fod ef yn rhy brysur i fynd i Fôn i'w gweled hwy. Mae pob Esgob yn gorfod bod yn bresennol yn Parliament meddai Pegi, ac un diwrnod mae hi am gael mynd i aros i Lundain pan fydd y Parliament yn eistedd. Braf arni hi.

Ddoe aeth Dewyth Esgob â ni i weld y Gadeirlan. Wedyn aeth Wmffri, fy mrawd, â fi i weld ei lyfrau. Hwyrach bydd ef yn Esgob ryw ddiwrnod. Aethom ni i ben y rhiw i weld Ynys Seiriol. Dyma Wmffri yn dweud y buasai yn hoffi byw ar Ynys Seiriol ac efallai fod y bechgyn bach yno. Pam na fuasai Duw yn gofalu dros ein brodyr bach ni tra oeddent yn Ysgol Biwmares a ninnau'n gweddïo drostynt bob nos wrth ddweud ein pader? Ar ôl marw mae'r enaid yn gadael y corff ac yn gallu bod mewn mwy nag un lle ar y tro, yn ôl Wmffri, fel yr awyr, yr haul ac ysbryd Duw. Ni ddaw y frech wen i Ystumllyn, meddai Tada, achos rydym ni'n ddigon pell oddi wrth y llongau mawr.

Dydd Iau: Bangor

Heddiw aeth Pegi, Wmffri a minnau i lawr at y traeth am dro. Roedd Wmffri yn ei gweld hi yn braf arnaf fi yn byw yn Ystumllyn. Petai ond yn gwybod mor ddiflas ydyw yno weithiau.

Y mae ef am fynd i Rydychen yr un fath â Dewyth Esgob. Wel, dyna fo! Cafodd ei enwi ar ôl Dewyth Esgob a Dewyth a fedyddiodd Wmffri a minnau pan oedd yn berson plwy arnom ni yn Ynyscynhaiarn. Cefais fy enwi ar ôl santes y plwy waeth beth ddywed El am Gatrin o Fraganza. 'Pan ddof adref ar fy ngwyliau,' meddai Wmffri, 'cawn ni hwyl efo'r cwch. Mi awn i bysgota. Mi awn i'r gors i ddal penbyliaid. Mi awn i ben Moel y Gest ac i Fronfoel. Mi awn i chwilio am ffau mochyn daear a chath goed. Gwylia'r haf ydi'r amser gorau yn y byd!' Mae Wmffri yn iawn.

1691 Mis Mai: Ystumllyn

Heddiw cawson lythyr oddi wrth Wmffri o Fangor ac yr ydwyf fi am ei gadw yn fy llyfr, er nad ydwyf yn ei ddeall i gyd. Mae Tada yn dweud bod Wmffri yn mynd yn debycach i Dewyth Esgob ym mhob llythyr wrth foli ei gartref ac olrhain ei achau. Ond waeth iddo heb â mynd yn rhy hoff o Ystumllyn. Wedi'r cwbl, El ydi'r etifedd. Rhaid iddo gofio hynny.

Ysgol y Gadeirlan, Bangor

Ante diem quintum Nonas Maias

Annwyl Tada a Mam, Cat, Bobw a Mag,

Gobeithiaf eich bod i gyd yn iach adref.

Heddiw yn yr ysgol buom yn darllen cerdd gan Tibullus sydd yn canmol bywyd y wlad. Wrth gwrs, sôn am yr Eidal y mae y bardd ond meddwl am Ystumllyn oeddwn i wrth ei darllen achos mae gennym ninnau afonydd bychain (a llyn), gerddi yn llawn o flodau, perllan ffrwythlon, a choed a grawnwin yn tyfu ar dalcen y tŷ, onid oes? Dyma y darn gorau gennyf fi:

Tunc victus abiere feri, tunc consita pomus,
Tunc bibit irriguas fertilis hortus aquas,
Aurea tunc pressos pedibus dedit uva liquores
Mixtaque securo est sobria lympha mero,
Rura ferunt messes, calidi cun sideris aestu
Deponit flavas annua terra comas.

Bu Dewyth Esgob yn egluro wrthyf ddoe sut yr ydym ni yn perthyn i'n gilydd. Priododd taid ei fam ef chwaer fy ngorhendaid i. Buom yn sgwrsio hefyd am arfbeisiau ein teuluoedd ni a'r hanes nobl sydd iddynt.

Edrychaf ymlaen at fis Awst i gael bod adref. Gobeithio y bydd Cat yn aros nes dof yn ôl cyn dringo Moel y Gest eleni.

Yn y cyfamser, Duw a'ch cadwo ac a'ch bendithio.

Ydwyf eich annwyl fab,

Humphrey Wynn

Awst 1

Heddiw bu Wmffri a minnau'n pysgota yn y llyn. Diwrnod braf, braf, braf. Daliodd Wmffri slywen hardd a honno yn un anodd iawn i'w dal.

Dydd Gwener

Mi fûm i'n cadw cwmpeini i Taid pnawn heddiw. Mae yn ffwndro weithiau ac o gwmpas ei bethau dro arall. Sôn am ryw Ruffydd Phylip yr oedd heddiw o Fochras oedd yn hoff iawn o'n teulu ni, yn ôl Taid. Ef oedd ein bardd teulu ni, meddai Taid, a byddai yn eistedd ar y tywod ym Mochras bron â marw eisiau dod i Ystumllyn i gael cinio a diod o gwrw, ond am fod y llanw ar drai, ni fedrai. Beth bynnag, cafodd amser i ganu wrth i'r llanw ddod i mewn. 'Rho hon yn dy lyfr, 'mechan i,' meddai Taid.

Mae fy nghalon inne yn ddwy,
Rwy yn magu clwy hiraethlon
Am y glana ynghred heb gêl;
Mae'n hawddgar angel tirion.

'Nain oedd yr angel,' meddai Taid, 'Elizabeth Bodwrda, ac angel oedd hi hefyd. A dyma iti un arall!'

Pe cawn unwaith drai yn deg
A'r dydd i chwaneg ystyn,
Mi orchfygwn hiraeth taer
Ond gweled aer Ystumllyn.

Aer Ystumllyn oedd Owen bach, brawd Mam, cyn iddo fo farw, meddai Taid. Wedyn daeth Mam yn aeres ac El fydd yn etifeddu ar ôl Mam. Canodd Gruffydd Phylip ym mhriodas Taid a Nain. Pe bai yn fyw heddiw gofynnwn iddo fo ganu yn fy mhriodas innau. Ys gwn i pwy briodaf i?

Rhywun tal, gwallt du, llygaid glas – Cymro. Mae'n rhaid iddo fod yn Gymro i ni gael mynd i Nosweithiau Llawen a chanu. Pan ofynnais i Taid pwy oedd ein bardd teulu ni yrŵan, dyma fo'n dweud yn ddigalon eu bod nhw i gyd wedi mynd. 'Does yna fawr o raen arnyn nhw heddiw, heblaw am ambell un,' meddai Taid.

Dydd Sul

Aethom ni i'r eglwys drwy'r niwl fore heddiw, Tada, Bobw a fi. Roeddwn i yn gafael yn dynn yn llaw Bobw a dyma yntau'n dweud, 'Cat, wela i mo'r eglwys. Dydi hi ddim yna. Mae 'na hen wrach wedi chwthu Ynyscynhaiarn i'r môr mawr.'

'Wel,' meddwn i, 'mae'n well i ti ei pherswadio hi i'w chwythu hi yn ôl neu mi fyddwn yn crwydro yn y niwl yma am byth!'

'Cau dy lygaid 'nta, Cat, fydda i ddim chwinciad yn taflu swyn ar y wrach a'i thricia. Ffwl di rwdl di-ri di-ri! Ffwl di rwdl di-ro di-ro! A dacw hi a dacw'r to! Dim ond y to gefais i yn ôl. Ond erbyn i ni gyrraedd yno FALLA bydd yr eglwys yno hefyd!'

Daeth yr eglwys i'r golwg yn sydyn yng nghanol y niwl a gwneud i'r tri ohonom chwerthin. 'Lolyn wyt ti, Bobw Wynn,' meddwn wrtho. 'Lolyn ac Arch-swynwr!' A dyma yntau'n crychu ei drwyn arnaf i a chwerthin, fel y bydd ef.

Mehefin: dydd Llun

Heddiw dyma Tada yn dweud ei fod ef ac El am fynd draw i Feirion ddiwedd yr wythnos i weld teulu Maes-yneuadd, ac wedyn i Lwynwern. Maent am farchogaeth i Ynys Cyngar a chael cwch drosodd i Ynys Gifftan, ochrau Talsarnau.

'Gaf i ddod efo chi?' gofynnais.

'Rwyt ti'n rhy ifanc, Cat,' oedd yr ateb gefais i. 'Cei ddod pan fyddi di'n hŷn ac yn gryfach.'

Mae hyn mor annheg! Mae bechgyn yn cael mynd i bob man. Eisiau i mi aros adref i helpu sydd, mae'n debyg, gan fod Mag wedi dal y frech goch. Mae hi'n dal bob peth.

Dydd Mercher

Bûm wrthi yn swnian ar Tada i geisio ei berswadio i adael imi fynd gyda hwy i Feirion ddydd Sadwrn. Yr ydwyf yn ddigon cryf. Mae Tada ei hun wedi dweud cyn heddiw fy mod i yn bladres o hogan. Y mae Wmffri fel styllen wrth fy ymyl i. Beth bynnag, mae yn hen bryd i mi gael mynd i rywle.

Dydd Iau

Clywais Tada yn dweud wrth Mam fy mod i yn dal i bwyso am gael mynd i Feirion. 'Ewch â hi wir,' medda Mam. 'Wnaiff hi ddim byd ond pwdu drwy'r dydd ben balad os na chaiff hi fynd efo chi. A chan fod y frech goch ar Magi mi fyddai'n gallach iddi fynd o'ma.'

O, gobeithio, gobeithio y caf fynd!

Dydd Gwener

O, mae heddiw wedi bod yn ddiwrnod mawr cyffrous. Daeth Mam i fy neffro fi'n gynnar i farchogaeth ar hyd y traeth tra oedd y llanw ar drai. Carlamu ar hyd traeth y Greigddu am y gorau efo El. Cawsom gwch o Ynys Cyngar a chroesi'r dŵr, a oedd fel llyn, ar draws y Traeth Mawr. Roedd hi'n braf, braf yn y cwch hwylio. Yr ydym ni am gael aros wythnos meddai Tada. Hwrê!

Dydd Sadwrn

Heddiw dyma ni yn cyfarfod rhai o deulu Tŷ Gwyn, Dolgellau, sydd yn gyfeillion gyda Tada. Yr oeddent hwy yn Gafalîrs fel ninnau yn ystod y gwrthryfel yn erbyn Cromwell a'i filwyr. Yr oedd y mab, Morus Owen, yn sgwrsiog iawn. Nid oedd yn fy nghredu pan ddywedais wrtho fy mod i'n gallu pobi bara.

'Ydw, siŵr iawn,' meddwn i wrtho.

'Ga i ddod drosodd i Ystumllyn i brofi dy fara di, Cat?' meddai yn bur ddigywilydd.

'Wn i ddim wir,' atebais. 'Mi fydda'n rhaid i ti gael cwch yn gynta heb sôn am ganiatâd!'

'Mae gen i gwch,' taerodd yn gellweirus, 'a dyma fi'n gofyn am ganiatâd gen ti.'

'O wel, cei felly,' meddwn i. Beth arall allwn i ei ddweud? Gwenu wnaeth o wedyn.

Mae ganddo lais eitha swynol achos mi gawsom Noson Lawen heno. Roedd Siôn Dafydd Las a'i delyn yma. A phan alwodd rhywun ar Morus i ddod i ganu penillion gwnaeth yn hollol ddi-lol . . . Tal, gwallt du a llygaid glas hefyd.

Dydd Sul

Aethom ni i gyd i'r eglwys fore heddiw. Ar ôl y gwasanaeth dyma'r rheithor yn cyflwyno gŵr ifanc i ni. Roedd o wedi darllen llith yn y gwasanaeth. Adref ar ei wyliau o Goleg yr Iesu yr oedd. Y mae yn rhannu yr un enw â'm brawd ac yn perthyn i Dewyth Esgob. Ac i ninnau o bell felly. Ei gartref yw Y Lasynys. Cymerodd ddiddordeb mawr yn El ar ôl i El ddweud wrtho ei fod yntau yn bwriadu mynd i Goleg yr Iesu i astudio y gyfraith y flwyddyn nesaf. Bu'r ddau Ellis Wynn yn ymgomio am hydoedd gyda'i gilydd. Bydd gennyf i lawer i'w ddywedyd wrth Wmffri pan ddaw adref.

Medi 1692

Buom ni am dro ar hyd llwybr y gors brynhawn heddiw. Yr oedd y brwyn yn ddigon tal i ni fedru chwarae cuddio. Cafodd Bobw bigiad gan rywbeth – neidr ddu, meddai, oedd hi. Ni welais i mohoni. Yr oedd Bobw yn crio ac aethom ni yn ôl am y tŷ. Y mae Tada wedi anfon am Doctor Roberts, Isallt heno. Y mae Malan wedi dod â gold Mair a swyn gafodd hi gan y swynwr yng Nghoed Du i wella Bobw.

Ganol mis

Mae hi'n dymor diolchgarwch. Nid wyf fi yn teimlo fel diolch i Dduw byth mwy. Y mae yn rhaid i ni dderbyn angau, meddai Mam. Ond ni allaf ddeall pam bod yn rhaid i Dduw gymryd Bobw. Yr oedd ar Mam eisiau i mi ddysgu penillion tra oeddwn i'n lwlan Mag i gysgu. Nid wyf fi am eu dysgu. AC NID WYF AM EU HYSGRIFENNU YN Y LLYFR HWN YCHWAITH.

VI: Y Llythyrau

1694

To Mr. Griffith Wynn gent. and Mrs. Griffith Wynn of Ystumllyn, near Cricieth from Mr. Humphrey Wynn of Bangor House, London

Bangor House,
St. Andrew's Parish,
Holborn,
London

Dydd Nadolig, 1694
Annwyl Tada a Mam,
Si vales bene est.

Ychydig wyddwn i pan drefnodd Dewyth Esgob i mi ddod i Lundain, wedi i ddyddiau ysgol Bangor ddod i ben, amser mor llawn oedd o 'mlaen i. Heddiw cawsom ein rhyddhau o'n gwersi a chefais fynd efo Dewyth Esgob cyn belled â Kensington. Es am dro tra bu ef yn traddodi pregeth ac yn gweinyddu'r cymun i'r Brenin William yn ei gapel.

Mae'r Frenhines Mary yn bur wael a Dewyth wedi bod yn gweddïo wrth ei gwely hi nos a bore ers dyddiau efo'r Archesgob a thri o esgobion eraill. Cafodd noson go lew neithiwr yn ôl D.E. ac maent yn dweud mai'r frech goch sydd arni. Dywed D.E. fod y Brenin wedi torri ei galon a'i fod yn datgan nad oes dim ots ganddo o gwbl am hynt a helynt y byd os digwydd rhywbeth iddi hi. Mae D. E. yn drist iawn ynghylch y ddau ac mae pawb sy'n galw yma'n dweud y gallai fod yn ddrwg iawn ar yr holl wlad hebddi hi.

Byddwn yn dychwelyd i Fangor ar ddiwedd sesiwn bresennol y Senedd. Yn y cyfamser byddaf yn parhau i gael gwersi arbennig mewn Lladin a Groeg, sydd bellach ddim yn gymaint o boen gennyf gan fod yr athro mor ddiddorol a charedig. Bydd hyn yn baratoad da ar gyfer mynd i Rydychen. Yr un athro sydd yn hyfforddi bechgyn Montague House ac addawodd echdoe y cawn fynd yno i'w cyfarfod cyn bo hir.

Nos Sul diwethaf euthum i'r gwasanaeth hwyrol yn Abaty Westminster. Lle rhyfeddol! Roedd Mr. Henry Purcell wrth yr organ a'r gerddoriaeth yn swynol odiaeth . . .

Anfonaf fy nghyfarchion cynhesaf atoch ac at Siôn a Cat a Mag fach a'r babi gan obeithio eich bod yn cadw rhag y peswch. Cefais lythyr oddi wrth El dro'n ôl. Mae o'n llawn asbri ac yn gobeithio dod i Lundain erbyn nos Galan.

Rydwyf am gloi rŵan gan fy mod wedi codi'n gynnar bore heddiw – 4.00 a.m. ond rydwyf yn cadw'n iach. Soli Deo gloria. Bydd y llythyr hwn yn mynd yn syth i Fangor efo llythyrau D. E. Cewch o'n gynt felly.

Cura ut valeas.

Ydwyf eich annwyl fab,

Humphrey

To Mr. Griffith Wynn gent. and Mrs. Griffith Wynn of Ystumllyn, near Cricieth from Mr. Humphrey Wynn of Bangor House, London

Bangor House,
St. Andrew's Parish,
Holborn,
London

Annwyl Tada a Mam,
Si vales bene est.

Mae pawb a phopeth yn mynd ymlaen yn ddi-ball yma. Nid yw dyddiad angladd y Frenhines wedi ei benderfynu eto gan fod llawer o waith paratoi ar ei gyfer. O yfory ymlaen bydd pawb yn gwisgo du am ddau fis.

Symol ydyw Dewyth Esgob. Nid yw wedi gorffwyso fawr ddim ers wythnosau. Cafodd pawb gryn fraw pan ddywedodd y Dr. Ratcliffe mai'r frech wen oedd ar y Frenhines Mary wedi'r cwbl ac nid y frech goch. Roedd D.E. wedi bod efo hi bob dydd a'r Brenin wedi symud ei wely i'w hystafell hi i gael bod wrth ei hymyl. Gwyddai o'r gorau am ei phoen gan iddo yntau ddioddef yr un haint flynyddoedd yn ôl yn ei wlad ei hun, yn ôl yr hyn a ddeallaf.

Heno mae Dewyth wedi blino'n arw ond yn dweud yn bendant y dylem fod ym Mangor erbyn y Grawys.

Cefais fynd i Montague House i gyfarfod y bechgyn ac yno rydwyf i dderbyn fy ngwersi Groeg o hyn ymlaen . . . Mae'r lle'n anferth ac yn rhyfeddol. Cefais aros i ginio a chael llawer o hwyl yn yr ardd wedyn efo'r bechgyn a'u cyfnither, Rebecca. Mae ganddi hi lygaid lliw fioled a gwallt du fel sidan.

Anfonaf fy nghyfarchion a 'nghofion cynhesaf atoch ac at f'annwyl frodyr a chwiorydd. Rydwyf yn edrych ymlaen at ddod adref i'ch gweld chi i gyd. Edrychaf ymlaen at fynd am dro ar draeth y Nheraig.

Gobeithio bod Ritshi bach yn cryfhau. Gweddïaf drosoch bob un ar i Dduw eich cadw'n ddiogel yn ei law.

Cura ut valeas.

Ydwyf eich annwyl fab,

Humphrey

To Mr. Griffith Wynne, gent. of Ystumllyn near Cricieth from Mr. E. Wynn of Jesus College, Oxford, January 1694/95

Dear Pater,

Byddwch yn synnu derbyn llythyr gennyf am y gwyddoch nad wyf yn hoff o ysgrifennu. Ond gair bach yn eich clust!

Wythnos diwethaf marchogais i Lundain a phenderfynais alw i weld Wmffri yn Bangor House a'r ateb gefais i oedd, '*Mr. Humphrey Wynn is at lessons in Montague House, Bloomsbury and will not be returning until late this evening.*' Braidd yn annisgwyl oedd clywed rhywun yn cyfeirio felly at Junior ond rhyfeddais o wybod ei fod gymaint yn llyfrau'r Montagues! Chwi wyddoch pwy ydynt wrth gwrs. Mae cenedlaethau ohonynt wedi gwneud enwau iddynt eu hunain ym myd busnes a'r gyfraith, yn y byd politicaidd ac yn y llysoedd brenhinol. Roedd Chief Baron Montague of the Exchequer yn un o gyd-farnwyr y Prif Farnwr George Jeffries yn y Western Assize. Un o'r enwocaf ohonynt fel y gwyddoch oedd Iarll Manceinion, Henry Montague, a ddedfrydodd Sir Walter Raleigh i farwolaeth.

A chofio bod Montague House wedi ei ailadeiladu yn weddol ddiweddar, ar ôl y tân mawr yno a bod yr

Iarll presennol wedi cael artistiaid o Ffrancwyr i ail-lunio'r adeilad, roeddwn yn awyddus iawn i weld y plas. *It's the talk of the town. People were there in great numbers, everyone in mourning now of course, with much to-ing and fro-ing in the forecourt. When I explained that I was a kinsman of Bishop Humphreys I was immediately given a very warm welcome. The Earl was not at home.* Mae'r si ar led ei fod yn chwilio am wraig gyfoethog i dalu peth o gost yr ailadeiladu. *I was shown into a downstairs library* a dyna lle yr oedd fy mrawd bach wrth ei waith efo dau fachgen arall a merch.

Aeth Junior a finnau am dro i'r gerddi i gael sgwrs. Roedd o'n edrych yn iach ac yn hapus iawn. Yna, digwyddodd rhywbeth a'm syfrdanodd i. Wrth iddo roi ei law yn ei boced i dynnu ei gyllell newydd allan i'w dangos i mi, syrthiodd llaswyr ar y llwybr o'n blaenau ni. Llaswyr! Gredech chwi!

'Be wyt ti'n wneud efo hwn,' meddwn i, 'a thithau yn Brotestant ac yn fab bedydd i Dewyth Esgob ac yn cael dy hyfforddi i fynd i wasanaethu yn yr Eglwys?' 'Dim byd,' meddai yn reit swta. Ond daeth y stori allan. Wedi cael y llaswyr yn anrheg oedd o gan y ferch ifanc a welais i yn y llyfrgell, Rebecca Montague, a chyda hi mae Junior yn rhannu tiwtor. Clywais wedyn mai merch un o'r Montagues sydd yn agos iawn at ei Fawrhydi y Brenin ydyw. Clywais wedyn mai Pabyddes o Ffrainc oedd ei mam, a'r ferch, o ganlyniad i farwolaeth ei mam, wedi dod drosodd o Ffrainc i'w magu yn Montague House. Faint o wirionedd sydd yn hyn wn i ddim. 'Cymer di ofal rŵan,' cynghorais ef. 'Paid â chyboli efo'r Pabyddion yna rhag iti fynd dros dy ben i ddŵr poeth!' *He took it on the chin, I must say that for him.*

'Mi ddewisaf fy nghyfeillion fy hun, El. Paid â phoeni,' atebodd. Yn ôl â ni i'r plas. *Rebecca and Henry, a cousin of hers, took us up the magnificent, great staircase that leads to the State Apartments, which are all decorated lavishly with paintings by Rousseau and Monnoyer, and rich hangings of tapestry.* Bydd ar fy mrawd bach eisiau cael paentio waliau Ystumllyn ar ôl hyn, gewch chi weld!

Efallai y cewch chi fwy o gyfle nag a gefais i i resymu efo fo pan ddaw adref. 'Fynnwn i ddim iddo daflu ei ddyfodol i'r gwynt ar gownt dyrnaid o fwclis!

Gobeithio eich bod chi a Mam a phawb arall acw yn cadw'n iach.

Ydwyf eich mab ffyddlon,

Ellis

VII: Mag Wynn

Cyn darllen rhagor estynnais at dwmpath o foncyffion crin mewn basged fawr yn y grât a rhoi clamp o foncyff ar y tân. Wrth syllu ar y fflamau'n dawnsio, synfyfyriais. Roedd hanes yr hen Esgob Humphrey Humphreys yn gyfarwydd i ni Fonwysion. Yn wir, rodden ni'n ei hawlio fel un ohonom ni gan iddo briodi merch yr Henblas, plasty heb fod ymhell o'm cartref. Daethom i wybod am ei wladgarwch, y modd y canmolodd y beirdd ef, y perchid ef gan ei offeiriaid, gan yr S.P.C.K., ei ddawn i olrhain achau ar hyd y blynyddoedd. Cymro a Christion i'r carn oedd barn ei gydwladwyr amdano a'r farn ymhell y tu hwnt i Glawdd Offa hefyd achos cafodd ei symud o Fangor i Henffordd yn Esgob, yn erbyn ei ewyllys yn ôl yr hyn a glywais i, ond wrth gwrs, roedd yn rhaid iddo fynd. Wyddon ni ddim pam mae Rhagluniaeth yn ein symud o gwmpas nes byddwn wedi dilyn ei llwybr.

Dal ati yn llawn brwdfrydedd oedd ei ffordd ef yn y fan honno hefyd er iddo golli ei wraig ac un o'i ferched. Ond gwyddem ni'r Monwysion am ei gariad at ei deulu, at Fôn a'i ymweliadau cyson atom . . .

Brenhinwr selog. Ei dad o Feirion ac wedi bod yn swyddog ym myddin y Brenin Siarl y Cyntaf drwy'r Rhyfel Cartref ac yn Gwnstabl Castell Harlech. Os cofiaf yn iawn, Hendre oedd enw'r cartref ar lannau'r Traeth Bach, a'r Traeth Mawr yr ochr arall. Lle hyfryd ar ffiniau'r ddwy sir. Hanai ei fam o deulu adnabyddus y Gesail Gyfarch, Eifionydd.

Cofiais ei fod wedi byw drwy flynyddoedd anodd y Rhyfel Cartref ac oes Cromwell a bod ei rieni, pan oedd ef yn fabi, wedi bod yn dystion i'r newyddion brawychus, ofnadwy ddaeth o Lundain yn datgan dienyddiad y Brenin Siarl. Gwyddent hwythau, siŵr o fod, am gywydd enwog y Brenhinwr, William Phylip, yn ochain ac yn mwrnio ar ei ôl. Mae'n debyg bod hyn wedi gadael argraff ddofn ar yr Esgob achos fe fyddai fy nheulu ym Môn yn sôn am y bregeth a roddodd o flaen aelodau Tŷ'r Arglwyddi yn Abaty Westminster i goffáu merthyrdod y Brenin Charles I yn niwedd Ionawr 1649, achos dymunasant gael printio a chyhoeddi'r bregeth. Gymaint ei ddylanwad . . .

Hel meddyliau . . . eto . . .

'Os gweli di wylan ...' nesáu ... pellhau ... pellhau ... Dal ati oedd ei ffordd ef ... dal ati ... nesáu ... dolennu ...

Hepian oeddwn a'm meddyliau yn hercian o'r naill beth i'r llall fel y bydd ar y môr weithiau. Ystwyrian fy hun a deffro'n iawn.

Rhoi boncyff arall i fywiogi'r tân a mynd ati i ddechrau darllen:

Llyfr bach Mag Wynn

Presant i Magi bwt oddi wrth dy frawd, El, 1696

Mag Wynn, Ystumllyn

Merch Griffith Wyn Penyberth a Margaret Ellis Ystumllyn

Wyres John Wyn Penyberth a Lowri Williams Llwyncrwn

a

Wyres Owen Ellis Ystumllyn ac Elizabeth Bodwrda

A disgynnydd Collwyn ap Tangno, pennaeth y pumed llwyth

ac Arglwydd Ardudwy, Eifionydd a Llŷn

Presant o Lundan gin fanwl frawd, El odd y chyfr yma.

Ma Tada isho sgfenu yma.

1688 Blwyddyn geni Mag Wynn – Blwyddyn y *Glorious Revolution*

[Cyn darllen ymlaen, euthum ati i ystyried pam yr oedd Griffith Wynn wedi ysgrifennu'r ddau air Saesneg yn llyfr bach Mag. Credaf mai ei amcan oedd pwysleisio mai aelodau o Eglwys Loegr oedd y teulu yn Ystumllyn. Mae'n debyg ei fod wedi egluro wrth Mag ystyr hanesyddol y ddau air oherwydd dyma'r flwyddyn – 1688 – y daeth William, Tywysog o Orange yn yr Iseldiroedd, Protestant dilys, i hawlio coron Lloegr iddo ef a'i wraig. Roedd William yn ŵyr i Charles y Cyntaf a gwraig William, sef Mary, hithau'n Brotestant frwd, yn ferch i'r Brenin James yr Ail, dilynydd ei frawd, y Brenin Charles yr Ail, i'r orsedd a Brenin Lloegr ar y pryd. Pabydd anhyblyg, gormesol, amhoblogaidd oedd o. Glaniodd y Tywysog William yn Nyfnaint yn 1688 gan gyhoeddi ei fod yn dyfod yn heddychlon ar ran Protestaniaeth i hawlio coron Lloegr. Efo fo daeth miloedd ar filoedd o filwyr a cheffylau. Ymlwybrodd yr orymdaith enfawr am wythnosau nes cyrraedd Llundain. Derbyniodd groeso brwdfrydig ar hyd y ffordd, meddir. Y flwyddyn ganlynol, coronwyd y ddau – y Brenin William y Trydydd a'r Frenhines Mary – yn Abaty Westminster, Llundain. Dihangodd y Brenin James i Iwerddon. Bu brwydr arall yno wedyn.

Mae'n debyg bod Mag Wynn yn ddigon hen i ddeall cyffro ei thad.]

Ma El yn 21 a fina 8. Fo ydir hyna a fi ydir ienga. Ma gen i ddau frawd arach Sion ac Wmffi ac un chwaer Cat.

Presant gin fanwl frawd El

Ap Griffith Wynn Penyberth a Magret Ellis Ystumllyn

Ap John Wyn Penyberth a Dorothy Parry Twysog

Ap John Wyn a Magret Wynn Penmaen

Ap Griffith Wynn Penyberth a Catherine Madryn

Ap John Wyn Penyberth a Catherine Castellmarch

Ap Tomos Wynn Penyberth a Lowri Fychan Llwyndyrys

Ap Griffith ap Grono Gwynfryn gafodd i saethu yn Bronfoel

Ma Tada wedi helpu fi efof acha

Ges i ngeni amsach clycha gog 7 Mai 1688 pan odd sgwafngod yn neidio yn cae Pen Foel y gog yn canu a eifa af ben Moel Gest medda Tada

1698

Cat a Morus yn pfiodi ynyf Eglws Mae n hw yn mynd i fyw i Ty Gwyn Dolgella. Glaw mawf hefiw. Pawb y bfysuf. Dim amsef i sfenu.

1700 1 Tachwedd

Doth y babi Hefiw. Owen., bfawd bach fi. Gwunt A glaw dfwf dyf.

5 Tachwedd

Mar baBi yn hych

10 Tachwedd
Maf babi yn fabi da iawn. Gwunt A glaw.

26 Tachwedd
Maf babi wedi bod yn cfio heb stoP. Gwunt a glaw.

28 Tachwedd
Doth Docto Robaish Isacht i weld Owen bach.

4 Rhagfyf
Doth Dewuth esgob hefiw i fedyfio Oewn bach.

6 Rhagfyf
Owen bach wedi mafw. Ma Tada wedi anfon at y clochyd i ganuf Gloch gnul.

24 Rhagfyf
Mynd if eglws yn fofa iAwn.

25 Rhagfyf
Yno'm mhlith y mud 'nifeilod
Heb ddim stade, Duw yn ei wybod,
Fe esgorodd Mair wen ddiddig
Ar ein Prynwr ddydd Nadolig.

27 Rhagfyf
Fus in gwneud cyflath efo Bet. fodd on gebyst o boeth iw blethu. Ma nwulo fin goch.

1 Ionawr 1701
Doth plant Brongadaf yma i nol clEnig. Gawson nhw gyflaff.

2 Ionawr
Oef. Maf chyn wedi ffewi.

3 Ionawr
Sion a fi yn sgefio af y chyn. Oef Iawn

10 Ebrich 1701
Ath Gwen a fi i hel briachu i Gefnmeusudd.

7 Mai 1701
Pen blwyf fi. Ges i garffen las gen Mam a Tada mwclis coch gen El chyfr gen Wmffi basged wnïo gen Cat a Mofus a chapan gen Sion.

19 Mehefin
Ma Wmffi wedi dod Adfa o Fydychen. Ma fon dal ac yn dena fath a Tada. Ma Tada isho fi gal gwefsi gen Mis Bfown yn Cficiaff.

1 Gorffennaf
Mi fues i at Mis Brown am wers

22 Gorff.
Ath Wmffi a Mam a fi i lan mor a chal bwud yno.

1 Awst 1701
Heddiw pwy ddoth yma ond Dewuth Esgob. Hwre.

3 Awst
Ma Wmffi wedi mynd efo Dewuth Esgob i Hendra caftfa tad Dewuth Fo odd yn gwarchod Castall Harlach. Ath Wmffi ar gefn Bess.

5 Awst
Ma rhen El adra o lundan a mae on dew fel casgan. Ges i ffrog sidan ganddo. Cafodd Mam a Dad gloc.

10 Awst 1701
Daeth Cat a Morus draw in gweld ni. Gawson ni hwul. Cafodd El i daflu ir llyn. Rodd on gweiddi mwfdwf.

13 Awst
Rodd El mewn stiw heddiw. Cafodd ei ddwrdio gan Mam am yfed gormod o gwrw. Rodd o wedi gwylltion gacwn. Ath allan efo gwn.

14 Awst
Ddaru El saethu cath goed ddoe. Welis i chwnffon hi yn hongian yn y stabal.

24 Awst
Ath El a fi ar gefn Bess i Benmorfa. Rodd y mor fel llefith reit i fyny at Graig Penmorfa.

30 Awst
Ma rhen El wedi mynd yn ol i Lundan. Diwedd ar yr hwyl.

17 Awst 1701
Daionus a thosturiol
Yw'r Arglwydd wrth ei bobol,
O oes i oes y pery'i air,
Dros fyth fe gair yn rasol.

17 Hydref
Cawsom ni lythyr gan y porthmon o' wrth El. Ma'r

hen Frenin Iago wedi marw yn Ffrainc. Rhad arno medda Tada.

18 Hydref

Noson stormus neithiwr. Cafodd Tada a fi hyd i dderyn bach wedi brifo a mynd â fo adra.

19 Hydref

Aethom ni i Gricieth heddiw. Roedd ein teulu ni yn byw yn y castell ers talwm. Syr Hywel y Fwyell oedd y cynta ohonon ni yno. Roedd o'n lle hardd iawn medda Mam efo ffenestri lliw. Ges i Very Good heddiw gan Miss Brown.

Mae'r deryn bach mewn cawell yn y gegin.

20 Hydref

Daeth y slatwr i drwsio to'r eglwys. Dydi'r deryn bach ddim yn canu.

21 Hydref

Rhoddodd Tada ddŵr a llefrith i lawr corn gwddw y deryn bach.

22 Hydref

Cymrodd y deryn bach botes cynnes. Mae o'n well ond heb ganu.

27 Hydref

Llyncodd y deryn bach bry genwair. Rydwi wedi ei alw fo'n Jaco.

28 Tachwedd

Cafodd Jaco ddod o'i gawell. Ond doedd o ddim yn fflio.

Mi ddaw medda Tada efo digon o ofal tyner.
Rhaid cofio hynny. Digon o ofal tyner.

4 Rhagfyr
Mae Jaco yn canu. Eira ar ben Moel Gest.

10 Rhagfyr
Mae Jaco wedi fflio rownd y gegin.

12 Rhagfyr
Aeth Tada â fi i ollwng Jaco yn rhydd. Bydd yn hapus rŵan ac yn medru gwneud ffrindia.

25 Rhagfyr
Daeth hefyd angylion
I fyneg' i ddynion
Mai ef oedd yr union Fessiah
A'r Ceidwad a'r Prynwr
A'r unig Iachawdwr
Addawsai'r Creawdwr o'r cynta.

1 Ionawr 1702
Blwyddyn Newydd Dda i bawb o'r teulu! – Tada a Mam, Siôn, El yn Llundan, Cat a Morus yn y Tŷ Gwyn ac Wmffi yn Rhydychen ac i Dewyth Esgob a Pegi yn Bodewryd a Malan a Bet a Huwcyn a phawb arall.

8 Chwefror
Mae Cat wedi cael mab. Robert Owen yw ei enw.

14 Mawrth
Mae'r Brenin William wedi marw. Brenhines Ann fydd yno rŵan.

7 Mai 1702

Yr wyf yn 14 heddiw. Es i weld fy ffrindiau i Gefn Meysydd.

10 Mehefin

Daeth Ifan Porthmon â llythyr i ni heddiw. Mae Tada a Mam wrth eu bodd achos bod yr hen El wedi pasio yn fargyfreithiwr yn Lincoln's Inn. Go dda yr hen El!

Awst 1702

Mae Wmffi yn aros yn Bloomsbury efo El a ninnau'n mynd i Dŷ Gwyn, Dolgella i weld Cat a Morus a Robert efo cwch o Bwllheli.

7 Mai 1704

Fy mhen blwydd – 16.
Cefais y Bibl Bach yn anrheg gan Tada a Mam.
Gwell nag aur a gwell nag arian
Gwell na'r badell fawr a'r crochan
Gwell dodrefnyn yn dy lety
Yw'r Bibl Bach na dim a feddi.

Awst 1704

Cafodd Wmffi ei urddo'n ddiacon yn y Gadeirlan ym Mangor heddiw. Go dda 'rhen Wmff!

7 Mai 1705

Fy mhen blwydd yn 17 oed.
Te wrth y Llyn

10 Mehefin

Mae Wmffi yn sâl.

14 Mehefin
Mae Wmffi yn well ond ei fod fel adyn o gwmpas y lle.

20 Mehefin
Nid oes ganddo lawer o stumog i wneud dim medda fo. Dwi'n meddwl ei fod mewn cariad. Mae petha yn digwydd yn Llundain.

Diwedd mis Gorffennaf
Daeth Dewyth Esgob yma heddiw. Mae o'n aros yn y Gesailgyfarch yn ôl ei arfer. Roeddwn i yn yr ardd yn gwneud fy mrodwaith pan ddaeth ef a Tada i eistedd yn yr ardd yr ochr arall i'r gwrych. Nid oeddwn yn bwriadu gwrando ond dyma nhw yn dechra siarad am Wmffi.

'Mae Margaret a minna,' meddai Tada, 'yn bryderus yn ei gylch. Mae o'n llesg ei ysbryd. Bron na ddywedwn i fod tinc y dywarchen arno fo ar adega.'

'Tybed?'

'Sgwn i a wyddost ti, Humphrey, ydi'r gyfeillach rhyngo fo a Rebecca Montague yn ffynnu?'

'Wel, mae'r ddau yn ffrindia mawr, mi wn i hynny. Mae Rebecca yn *governess* i blant ei hewyth. Merch annwyl, ddirodres ydi hi.'

'A Phabyddes? Glywaist ti am y sallwyr?'

'Wel, ei dewis hi ydi hynny. Syniad Ellis am y sallwyr? Do.'

'Mi wyddost gymaint y mae Eglwys Loegr yn 'i olygu i Wmffra.'

'Gwn.'

'Mi rydw i wedi ei siarsio fo fwy nag unwaith mai camgymeriad ydi cyboli efo'r Pabyddion.'

'Rwyt ti'n fy synnu i braidd, Griff, o gofio teyrngarwch

selog rhai o aeloda dy deulu di ym Mhenyberth i Eglwys Rufain!'

'Hen hanes ydi hynny. Ond byddai bywoliaeth Wmffra yn y fantol pe bai'r berthynas rhyngo fo a Rebecca yn datblygu.'

'Mm. Os ydyn nhw'n caru ei gilydd mae'n siŵr y byddai modd iddi hi droi 'i chôt, os myn, ac os yw hynny yn y cwestiwn. Gŵr ifanc, llariaidd ydi Wmffra ac os ydi ei galon o'n gwrthdaro yn erbyn ei gydwybod, mae o mewn sefyllfa arteithiol o boenus. Rwyt ti yn llygad dy le i bryderu, Griff. Ond yn siŵr iti wnaiff y sefyllfa ddim gwella os cymerwn ni safbwynt y condemnwyr a'r fflangellwyr, Griff. Mi rydw i'n cydnabod bod lle i rai fel Ellis Wynne, y Lasynys, sy'n dwrdio'n hallt ac yn chwyrn, chwyrn ar adega ond dydw i ddim yn cyd-weld â'i ffordd ef o gasáu a dilorni Pabyddion, er cymaint o gyfeillion ydyn ni. Nac ydw. Dro ar ôl tro rydw i wedi pwysleisio mai drwy ymddiddan a rhesymu a phob moddion mwynaidd y dylen ni ymegnïo i ennill y Pabyddion a'r Anghydffurfwyr a byw mewn undeb ysbryd a rhwymyn tangnefedd efo nhw . . .

Gwyddost fel y bu bron i'r llwfrgi, y Brenin James yr Ail, fynd â'r wlad a'i phen iddi, yr un fath â'i dad, druan, drwy fod yn ddogmatig ac yn unben. Plygu dim! Ond mi waredodd Duw y wlad drwy anfon y Frenhines Mari atom o'r Iseldiroedd. Duw a'n gwaredo ninna, Griff, i estyn llaw drugarog.'

'Mi wn gymaint y mae Wmffra yn ei olygu i ti, Humphrey, a diolch i ti am dy holl garedigrwydd tuag ato.'

'Mae o wedi bod fel mab i mi ar hyd y blynyddoedd a diolchaf i Dduw amdano. Wyddost ti, pan fu farw Elizabeth roeddwn i'n ei gweld hi'n anodd iawn gadael i'r merched fynd i Fodewryd i'w magu gan eu modryb. Ond dyna oedd orau iddyn nhw. Teimlwn mor amddifad, mor sobor o unig, heb deulu o gwbl ac mi gododd Wmffra 'nghalon i ac mi allaf ddweud heb flewyn ar dafod mai ei les eneidiol o a'i alwedigaeth yn y byd fu'n fy nghyflyru i i ddal ati pan deimlwn droeon fel bron rhoi'r gorau i bopeth.'

'Mae o'n hogyn da, diolch i Dduw. Tybed oes yna rywbeth gallwn ni ei wneud?'

'Wel, mi ga i air efo fo i ddeall sut y mae o'n teimlo. Wedyn, gawn ni weld . . . newid aer hwyrach . . . gawn ni weld. Fy marn i ydi bod Ellis yn camgymryd y sefyllfa – mai gwrthrych chwilfrydedd yn unig oedd y sallwyr a dim mwy, achos Brenhinwyr, Cafalîrs difrifol ac addolwyr ffyddlon yn Eglwys Loegr ydi aelodau teulu Rebecca. Gwn eu bod wedi byw yn Ffrainc am gyfnod yng ngwasanaeth y Brenin ond teyrngarwch i Eglwys Loegr sy'n cael eu prif sylw.'

14 Mehefin 1706

Daeth llythyr heddiw oddi wrth Wmffri yn dweud ei fod yn dod â Miss Rebecca Montague a'i modryb yma i aros ym mis Awst. Yr oedd brawd ei hendaid hi yng ngwasanaeth personol y Brenin Charles yr Ail yr un pryd â Dewyth Robert Ellis, brawd i daid Mam. Mae'n sicr eu bod yn adnabod ei gilydd. Mae Wmff yn dweud bod gan Rebecca berthnasau ym Mhorthamel Isa ym Môn.

Dydi hi ddim yn siarad Cymraeg ond mae hi'n rhugl yn Ffrangeg – a Saesneg wrth gwrs. Rydw i'n methu'n lân ag aros tan fis Awst . . .

2 Awst

Cyrhaeddodd Wmffi a Rebecca a'i modryb heddiw.

Mae Rebecca yn hynod o dlws. Roedd modryb Rebecca yn canmol fy mrodwaith i a gofynnodd i mi ddangos iddi sut i wneud rhai pwythau.

15 Awst

Galwodd Dewyth Esgob o'r Gesailgyfarch. Pawb yn falch o'i weld.

17 Awst

Daeth Cat a Morus yma efo'r plant. Dyna hwyl ydi llond tŷ o bobol. Aethom i gyd i lan y môr heddiw a chael pryd o fwyd ar y twyni. Roedd Mam wedi taenu lliain bwrdd gwyn ar y glaswellt a gosod y bwyd arno. Brechdanau jam cyrens duon, bara menyn a chaws, bara brith, tarten lus, bara ceirch efo eog wedi ei falu'n fân arno, teisen hufen, diod 'sgawen a diod danadl poethion. Mi aeth yn ffeit rhyngof fi ac Wmffi am grystyn y dorth haidd. 'Tickle him, Mag!' meddai Rebecca a dyna ni i gyd yn ymosod ar Wmff. Roedd o'n chwerthin nes ei fod o'n wan. A fi gafodd y crystyn.

Daeth Dewyth a Pegi atom i swper. Gwledd o swper diolch i'r cwc a'r morynion. Wedyn pawb i'r neuadd am Noson Lawen. O, am gyffrous! Tada a Mam yn canu deuawd groeso. Cat ar y delyn a Morus yn canu penillion. Morus yn chwarae crwth tra dawnsiai'r plant ryw ddawns od – Dawns yr Adar a'r Crancod!

Canodd Cat gân newydd efo Robert yn cyfeilio i'w fam ar y delyn fechan. Wedyn, gêm lle roedd pawb yn newid seddau a chadair y brenin yn y canol. Y nod oedd diorseddu'r brenin. Lot o symud o gwmpas, holi'r brenin a lolian chwerthin am ben yr holi hurt a'r atebion digri.

Ar ôl difrifoli, fi yn adrodd rhai o benillion y Ficer Prichard a chanu rhai efo'r crwth. Pegi yn canu yr hen gân werin 'Doli'. Tada yn egluro yn Saesneg ddarn o gywydd gan Gruffydd Phylip ac yn ei adrodd wedyn.

Daeth Rebecca ymlaen efo'i liwt i roi carol roedd y trwbadŵrs yn ei chanu amser maith yn ôl, medda hi, yn Ffrainc ac efallai ar ôl croesi'r môr i Gymru. Canodd mor hudol a hiraethlon gan syllu drwy gydol y gân ar Wmffi oedd wedi ei gyfareddu ganddi. Gwelais Morus yn wincio a gwenu yn awgrymog ar Cat. Yna gêm glapio i bawb efo modryb Rebecca yn chwara llwya. Difyr!

Yna cododd Dewyth i chwarae pib yn sionc a chanu 'Dyn bach o Fangor' yn ei lais bas dwfn, swynol. Ailganu a phawb yn ymuno.

O'r hwyl gawsom ni. A'r hen Wmff yn wên o glust i glust yn clecian dawns y glocsen. At y diwedd cydiodd Tada yn ei ffidil a dyna fwynhau ein halawon hen, trist a hapus, a Cat ar y delyn yn atseinio'r diwn. Pawb yn canu wedyn neu'n hymian.

A hithau'n tynnu at hanner nos cododd Tada ar ei draed i ddiolch i bawb ac yn enwedig i Dewyth a Pegi am ddod mor bell. Yna gofynnodd i Dewyth a wnâi ddod â'r Noson Lawen i ben. Gyda gwên ufuddhaodd Dewyth drwy lafarganu Salm 100, 'Cenwch yn llafar i'r Arglwydd, yr holl ddaear', a gofyn bendith Duw ar bob un ohonom ni. Ar ôl diod boeth, ymbiliodd Mam ar i bawb fynd i gadw. Arhosodd Dewyth a Pegi y noson, Dewyth yn y llofft bellaf a Pegi efo fi. Diwrnod dihafal!

30 Awst 1706

Mae Rebecca a'i modryb wedi cychwyn i Fôn i weld eu perthnasau ac Wmffi yn eu hebrwng yno. Hwyl i ti, Wmff, a chofia gyngor yr hen Ficer Prichard –

Cais wraig fedrus, ddoeth, rinweddol,
Honno'th god yn ben i'th bobol,
Honno leinw dy gornelau,
Honno bair i'th galon chwarau.

Cais un ufudd megis Sara.
Cais un ddisyml fel Rebecca,
Cais un serchog megis Rachel,
Cais un fedrus fel mam Lemuel.

VIII: Humphrey Wynn

Deuthum o hyd i ddwy gannwyll arall a'u cynnau gan fod cysgadrwydd eto fel niwlen yn dechrau fy meddiannu. Synfyfyrio a gwerthfawrogi'r tân ar ôl bod yn agor y ddôr i weld sut olwg oedd ar y tywydd. Roedd hi'n rhewi'n greision.

Diddorol oedd gwybod am enw Rebecca. Cofio clywed rywdro adref ym Môn am aeres gyfoethog oedd wedi ymweld â'i thylwyth ym Mhorthamel Isa, Plas Coch i ni heddiw. Gan fod fy nghartref heb fod ymhell iawn oddi yno, roedd hyn yn bwnc siarad wrth y bwrdd bwyd.

Roedd perthynas pell yr aeres, o'r enw Elizabeth, wedi priodi ddwywaith, yr ail ŵr yn Archddiacon Meirionnydd, a'i theulu yn lluosog. Gwyddem hefyd fod yr aeres yn ferch i ryw Simon Montague ac o deulu Iarll Manceinion. Ond am ei henw wyddem ni ddim. A dyna fi'n gwybod heno enw'r aeres ddirgel – Rebecca – ar ôl lloffa yn 'llanast' Lusa Joseff ym Mhlasty Ystumllyn!

Ymlaen â mi i ddarllen hanes Humphrey Wynn yn Henffordd lle'r oedd ei Dewyth Esgob erbyn hyn yn Esgob Henffordd.

To Mr. Griffith Wynn gent. and Mrs. Griffith Wynn of Plas Ystumllyn, near Cricieth from the Reverend Humphrey Wynn of Bishop's Palace

Bishop's Palace
Henffordd
12 Mawrth, 1707

Annwyl Tada a Mam,
Si vales bene est.

Ysgrifennaf atoch ar frys gan hyderu eich bod eich dau a Siôn a Mag yn iach a diddan.

Bydd y newyddion sydd gennyf yn y llythyr hwn yn peri syndod i chwi, mae'n sicr. Yn ddiweddar bûm yn derbyn hyfforddiant neilltuol gan Dewyth Esgob ar gyfer gwasanaethu fel caplan yng ngosgordd Charles Montague, Iarll Manceinion, Llysgennad Arbennig (a pherthynas i Rebecca gyda llaw) sydd yn cychwyn am Fenis ymhen rhai dyddiau. Mae Dewyth Esgob yn credu y bydd y profiad o gymorth i mi. Y tebygrwydd yw y byddaf i ffwrdd am tua blwyddyn.

Roedd yr Iarll, fel y gwyddoch, yn un o'r rhai amlycaf yn y cynllun i berswadio'r Prince of Orange, fel yr adwaenid y Brenin William amser hynny, i ddod drosodd o Holland i lywodraethu ein gwlad. Charles Montague hefyd a'i gatrawd groesawodd y Brenin William a'r Frenhines Mary pan laniodd y ddau ar dir Prydain a chymerodd ran flaenllaw yn seremoni'r coroni.

Cofiaf i chwi, Tada, ddweud hanes Brwydr y Boyne yn Iwerddon wrthyf un tro pan oeddwn yn fachgen, ar ôl gweld hen filwr ungoes yn ffair Penmorfa – y frwydr honno rhwng y Brenin William y Trydydd, y Protestant, a'r Brenin James yr Ail, y Pabydd rhonc. Roedd Charles Montague a'i gatrawd ar faes y gad yn Iwerddon yn cefnogi'r Brenin William a'r Protestaniaid. Enillasant y frwydr a dihangodd James i Ffrainc. Bûm yn siarad â

Charles y dydd o'r blaen ac ymysg pethau eraill, cododd Brwydr y Boyne yn destun sgwrs. Erbyn heddiw deallaf bryder Dewyth Esgob pan fu'r Frenhines Mary farw. Gwyddai Dewyth mai hi, oherwydd ei chariad at y ddau, ei gŵr a'i thad, oedd yn cadw'r ddysgl yn wastad. Druan ohoni. Rhagweld y rhyfel oedd Dewyth wrth gwrs.

Roedd Rebecca yn dymuno anfon ei chyfarchion cynhesaf atoch pan welais hi ddoe. Bydd blwyddyn heb weld ein gilydd yn loes.

Gras Duw fo gyda chwi a'i gariad Ef fo'n teyrnasu yn eich plith chwi a Siôn a Mag yn Ystumllyn a chyda Cat a Morus a'r plant yn y Tŷ Gwyn. Ni chefais air oddi wrth El er i mi ysgrifennu dau lythyr ato ond nid arwydd o afiechyd yw hyn fel arfer. Dyn prysur ydyw 'mrawd.

Gellwch anfon llythyrau ataf i Fenis i'r cyfeiriad hwn:

Il Reverendo Humphrey Wynn, L'Ambasciatore Inglese, Palazzo Ducale, Venezia, la Rebublica di Venezia.

Soli Deo gloria ad infinitum.

Ydwyf eich hybarch annwyl fab,

Humphrey

To Mr. Griffith Wynn gent. of Ystumllyn, near Cricieth from Il Reverendo Humphrey Wynn of Palazzo Ducale, Venezia

Gŵyl yr Atgyfodiad

Venezia 1707

Annwyl Deulu,

SVBE

Fel y gwelwch rydwyf wedi cyrraedd y ddinas hardd anghyffredin hon o'r diwedd. Cymerodd y gwaith paratoi fwy o amser nag a feddyliais, achos bu'n ofynnol i mi roi fy meddwl ar ddysgu siarad iaith yr ardal cyn cychwyn heblaw cant a mil o bynciau eraill hanfodol.

Wrth edrych drwy'r ffenestr sy'n wynebu'r Canale di San Marco, gwelaf gryn ugeiniau o longau a llong urddasol y Doge wrth angor yn y lagŵn. Mae'r dŵr yn pefrio fel miloedd o ddiemwntau yn yr heulwen.

Heddiw, ers glas y bore, bu clychau'r eglwysi yn canu drwy'r dydd i ddathlu'r Atgyfodiad. Bûm yn y gwasanaeth yng Nghadeirlan San Marco – yn un o gannoedd o bobl yno. Cychwynnwyd gyda gorymdaith urddasol i gerddoriaeth, na chlywais i erioed ei bath, odidoced oedd. Pawb mewn gwisgoedd ysblennydd, hirllaes, lliwgar a mintai o glerigwyr ifainc yn eu harwain – y rhai hynny yn cludo canhwyllau mawr, tua llathen neu fwy o hyd, i fyny at yr allor.

Aeth y gwasanaeth ymlaen am oriau, gan fod pawb yn derbyn y cymun bendigaid (finnau yn eu mysg) ac oherwydd bod cymaint i'w weld a'i glywed (a'i arogli – roedd yr arogldarthu yn hynod effeithiol) anghofiais i am amser. Weithiau, rhaid cyfaddef, troes fy meddyliau tuag atoch chwi ac Ystumllyn a Rebecca yn Llundain, ond ar ganol fy myfyrdodau byddai'r mosaics gwych ar furiau'r Gadeirlan yn hoelio fy sylw eto ar hanes yr Efengyl a storïau'r Hen Destament. Mor real oeddynt.

Yn hwyrach yn y prynhawn cefais y fraint o fynd i ymweld â'r Chiesa dei Frari, eglwys enfawr, hardd – cartref y Brodyr Llwydion. Yno, corddwyd fy nheimladau unwaith eto pan welais ddarlun gan Tiziano o'r Forwyn Fair yn esgyn i'r nefoedd a'r lliw coch tanbaid a ddefnyddiodd yr arlunydd yn byrlymu bywyd ac yn creu undod gwefreiddiol o grefftus rhyngddi a'r disgyblion. Bron na thaerwn fod y fintai o dystion yn y llun yn fyw a'u bod wedi eu parlysu am eiliad gan wyrth yr esgyniad.

Heno, fel un o osgordd Charles Montague, cefais wahoddiad i'r wledd ym mhlas y Doge Mocenigo. Roedd rhai muriau wedi eu gorchuddio â felfed coch, eraill â phaentiadau a thapestrïau a fyddent yn ddigon mawr i guddio Ystumllyn neu Eglwys Ynyscynhaiarn.

A phetasech chi'n gweld yr holl fwydydd a'r gwinoedd, byddech o'r farn mai breuddwyd oedd y cwbl. Ond y sgyrsiau oedd yn ddiddorol. Dysgais mai cyfrwng i ledaenu'r Efengyl oedd y mosaics dros ganrifoedd, nid yn unig i bobl ddi-ddysg, anllythrennog heb fod ganddynt allu i agor yr un Beibl, ond hefyd fel cyfrwng i dynnu pobl o wahanol genhedloedd, ieithoedd a chredoau at ei gilydd. A dyna fi yn un ohonynt heddiw – Humphrey Wynn, Ystumllyn – meddwn i wrth glerigwr o Venezia oedd yn eistedd wrth fy ymyl. 'A, a maximis ad minima!' atebodd yntau. Eglurodd fod i'r Gadeirlan a'r mosaics bwrpas llawer mwy seciwlar, sef creu cyrchfan i alluogi pobl i gyfarfod â'i gilydd er mwyn gwneud busnes i hyrwyddo nerth economaidd a pholiticaidd y deyrnas fechan, bwerus hon – creu masnach a fyddai'n ddigon o her i ddychryn unrhyw elyn a feiddiai agosáu ati o gyfeiriad Constantinople.

Yr ydwyf yn mynd i Ynys Murano heno ac felly mae'n rhaid cau'r llythyr gan mai'r môr sydd yn rheoli bywyd yn Venezia. Ceir pedwar llanw yn feunyddiol ac y mae pawb a phopeth yn byw yn ôl y llanw, ac i atgoffa dyn mae ymhob *piazza* lun cloc anferth ar fur. Symudir bysedd y cloc bob dydd i ddangos amser y pedwar llanw.

Anfonaf fy nghofion cynhesaf atoch i gyd.

Ydwyf eich annwyl fab,

Humphrey

To Mr. Griffith Wynn gent. of Ystumllyn, near Cricieth from Il Reverendo Humphrey Wynn, Palazzo Ducale, Venezia

Venezia 1707

Annwyl Deulu,

SVBE

Byddaf yn meddwl amdanoch yn ddyddiol, yn enwedig wrth gerdded yn gynnar bob bore ac yn hwyr y dydd i lawr ystrydoedd culion, ar hyd ambell i *arcade* lle mae'r siopwyr yn arddangos eu gwydrau lliw gwerthfawr, dros Bont y Rialto, heibio'r farchnad bysgod agored a chroesi sawl *piazza* bach i gyrraedd yr eglwys fechan ar ochr camlas lle byddaf yn cynnal gwasanaethau i Charles Montague a'i osgordd.

Mae'r amser yn mynd heibio yn gyflym. Ddoe ar Ynys Murano gwelais y gwydrwyr wrth eu crefft. Mor ddeheuig ydynt yn creu siapiau ac yn cymysgu lliwiau.

Yn aml daw hiraeth drosof i weld pawb ohonoch ac i anadlu awyr iach y caeau a'r mynyddoedd. Ar yr un pryd, gwerthfawrogaf y profiad o fyw yma. Aeth Charles Montague â mi i weld y creiriau yn y Gadeirlan. Roedd y Cristnogion cynnar yn morio o Balestina i fyny Môr yr Adriatig gyda'r creiriau er mwyn ffoi oddi wrth eu gelynion, a chyda darn o gorff Marc i'w drysori dywedir iddynt benderfynu sefydlu y Gadeirlan yma. Daeth llawer o greiriau i'w ddilyn. Gwelais ddefnynnau o waed ein Harglwydd, darn o bren y Groes, hoelen o'r Groes, cudyn o wallt Mair Forwyn a darnau o esgyrn y disgyblion. Anodd credu. Cânt sylw cannoedd o bererinion a'r arfer ydyw talu am eu gweld, ac i goffrau'r Pab yn Rhufain yr aiff yr arian i gyd. Nid yw hynny i'w gymeradwyo rhywsut, yn fy marn i. Ond fel yr oedd y Cristnogion cynnar am gofio a thrysori, dyna yr ydym ni'n ei wneud hefyd, yntê, pan gollwn rywun annwyl? Cadw darlun hoff, modrwy, cyrlen o wallt er enghraifft – rhywbeth i'w gofio.

Rydwyf yn llythyru'n aml efo Dewyth Esgob. Byddaf yn teimlo'n nes atoch chwi i gyd wrth ysgrifennu llythyr.

Dychwelaf adref ymhen y mis. Tawaf tan hynny.

Ydwyf eich annwyl fab,

Humphrey

IX: Bosbury

Mae gan y môr ei gyfrinachau arbennig fel y gwyddom ni longwyr, o brofiad blynyddoedd meithion o ymdrin ag ef. Ni hwyliais hyd yma i ben draw Môr yr Adriatig ac felly nid adnabûm dref ddisglair Fenis, er y gwyddwn am enwogrwydd ei phorthladd a'i chamlesi, ond diddorol oedd darllen acownt y Parchedig Humphrey Wynn am bedwar llanw y dydd yno. Gwyddwn amdanynt.

Nid wyf yn synnu chwaith achos mae'r hen fôr yna yn ein rheoli ni'n aml heb yn wybod i ni ein hunain, er cymaint ein gallu i'w ffrwyno. Mae gennym lawer iawn i'w ddysgu ganddo ac amdano ar ddyrys daith gyrfa bywyd. Ar ôl y bregeth fach amserol yna, y dyliwn innau ei chofio hefyd, af ati i ddarllen y llythyrau oedd eto'n fy nisgwyl.

Mrs. Humphrey Wynn of The Vicarage, Bosbury, near Hereford to Mrs. Catherine Owen of Tŷ Gwyn, Dolgellau

septembre 1708

Ma chère Cat,

I do hope that you and the children are well.

The sun shone on our wedding day! Humphrey and I wished you could have been with us. There was a great crowd inside and outside the church in Bloomsbury and also in Montague House after the ceremony. Humphrey made such a handsome bridegroom. He stood head and shoulders above everyone else. I was so proud of him and he said I looked very pretty in my wedding gown. It was of silver muslin with a long train. Over it I wore a violet coloured velvet mantle. I am sending pieces of the material for you to see. I wore my hair all unconfined and over it a silver lace cap and a hat which matched my gown.

In this package you will find a pair of kid gloves for yourself and my knots of silver, blue and lavender ribbons for the children as a keepsake. I am sending a similar package to Ystumllyn.

On our return from France and Italy, Humphrey and I spent a week at Kimbolton Castle with Charles and family, and from there visited cousins at Boughton. Then we returned to Bloomsbury to have our belongings packed. While we were there we attended a performance of Mr. Henry Purcell's 'Fantasia for Strings' which we enjoyed very much.

A week later we made our way to sweet Herefordshire and so to Bosbury. Our little village is such a busy place. The vicarage pleases me greatly as it has such a sunny position and you would like the church, Cat, it is so impressive and beautiful and has a long, noble history.

Humphrey is happy too, especially as dear Dewyth Esgob is only a few miles away in Hereford Cathedral.

Humphrey says he is writing to you in the ancient tongue of his forefathers! With all the important news! In that case, dear Cat, you will have some substance to read after poring over this flighty note of mine!

I send my fondest regards to you and all the children, who I hope are well and continue to be a great blessing to you.

Meuilleures amitiés,

I remain always your loving sister-in-law,

Rebecca

To Mrs. Catherine Owen of Tŷ Gwyn, Dolgellau from the Reverend and Mrs. Humphrey Wynn of The Vicarage, Bosbury, near Hereford

Medi 1708

Annwyl Cat,

Gobeithiwn dy fod ti a'r teulu yn cadw'n iach.

Cawsom briodas hyfryd – dyddiau hynod ddedwydd a phawb yn glên, diolch i Dduw. Bellach dychwelsom i Fosbury. Byddet yn dotio at Eglwys y Drindod Sanctaidd yma – eglwys glyd, hynafol, hardd a adeiladwyd rhwng 1196 a 1200 lle bu ar yr un safle adeilad hŷn o'r 8fed–9fed ganrif. Ychydig lathenni oddi wrth yr eglwys mae tŵr uchel, sgwâr a adeiladwyd yn y drydedd ganrif ar ddeg fel amddiffynfa i'r bobl leol rhag i'r Cymry ymosod arnynt! A dyma fi, Gymro pybyr ac offeiriad yr eglwys, yn byw ac yn gwasanaethu yn ei gysgod!

Ddoi di draw i aros rywdro i ti gael clywed y clychau'n canu, chwech ohonynt, a gweld y fedyddfaen hen, y groglofft ogoneddus, cerrig coffa y Knights Templar a ddefnyddiai Bosbury fel canolfan ers talwm, croes Cuthbert Sant a llawer mwy? Ddoi di? Byddai Rebecca a minnau wrth ein bodd ein dau yn dangos y lle i ti.

Cei fwy o hanes eto gan ei bod yn amser swper arnom ni rŵan.

Bendith yr Hollalluog arnat ti a'r teulu.

Ydym dy frawd a'th chwaer yng nghyfraith ffyddlon,

Wmffri a Becca

To Mr. Griffith Wynn gent. of Ystumllyn near Cricieth from the Reverend Humphrey Wynn of Bosbury, Herefordshire

Tachwedd 1712

F'annwyl Tada, Mam, Siôn a Mag,

Dychwelsom echdoe i Fosbury ar ôl bod yn aros rai dyddiau efo Charles Montague a'i deulu ar wahoddiad yng Nghastell Kimbolton, sydd yn dra gorchestol tu mewn, ond yn llawer llai trawiadol na Chastell Cricieth tu allan.

Roedd arno eisiau mynd â fi i weld y Bedford Levels, ac aethom yno i weld cyfran o'r wlad eang a hawliwyd o'r môr gan Iarll Bedford. Daeth y gwaith mawr i ben ryw hanner can mlynedd yn ôl gyda'r canlyniad i'r Iarll mentrus ennill 95,000 erw o dir yn wobr am ei lwyddiant, yn ôl Charles. O ganlyniad mae tirfeddianwyr Bedfordshire erbyn heddiw yn prysur fagu cyfoeth yn gyson a'r sir yn cael ei chydnabod yn sir amaethyddol orau'r deyrnas.

Rydwyf wedi rhyfeddu! Tybed a ellid gwneud yr un peth gyda'r Traeth Mawr i ymestyn ystad Ystumllyn a gwella bywyd trigolion y plwyf? Pe bai ond digon o arian gennym i fuddsoddi yn y fath Golosws o gynllun. Dyna fi'n breuddwydio breuddwydion! Na ato Duw i mi wag ymsynio.

Ond un da ydyw Charles am wireddu ei freuddwydion. Gwahoddodd Senor Pellegrini i Gastell Kimbolton i arlunio'r muriau tu mewn i'r castell. Uwchben y grisiau isaf mae arlunwaith enfawr o orymdaith dan y teitl 'Buddugoliaeth Cesar' sydd yn cynrychioli buddugoliaeth y Brenin William ym Mrwydr y Boyne. Chwi gofiwch fod Charles yn un o'i gefnogwyr brwd ar faes y gad yn Iwerddon. Mae'r portread o Cesar yn fythgofiadwy mewn clog oraens (lliw y Brenin wrth gwrs) a choron o ddail llawryf ar ei ben a'r dyrfa orfoleddus o gwmpas ei gerbyd rhyfel a'i geffylau gwynion, yn bloeddio a dawnsio, canu utgyrn a chwifio torchau a baneri. Mae'r cyfan yn lliwgar ryfeddol ac mor fyw, ond ni wnaf ymhelaethu rhag eich blino. Dyna sut freuddwydiwr yw Charles! Bu'r Castell, meddai wrthyf, yn ei ddydd yn garchar ac yn angau i'r Frenhines Catherine, gwraig y Brenin Harri'r Wythfed.

Mae'r tân wedi mynd yn isel a Becca wedi cysgu yn y gadair.

Mae negesydd newydd alw yma gyda gair o Henffordd yn dweud bod Dewyth Esgob yn symol iawn ac wedi gwaethygu ers hanner dydd.

Af draw yno ar f'union.

Tangnefedd i chwi.

Humphrey

Yn hwyrach heno'r nos.

Annwyl Tada,

Roedd Dewyth yn bur wan. Ei lygaid ynghau.

Eisteddais wrth y gwely. Rhois fy llaw iddo.

'Dewyth?'

''Machgen i.' Agorodd ei lygaid. Gwenodd.

Ymhen munudau, 'Gweld . . . gweld yr hen fynyddoedd . . . wyddost ti . . . Creigiau Penmorfa . . . '

'Moel y Gest.'

'Ia. A Moel y Gest ... Moelwyn Bach ... Moelwyn Mawr ... '

'Y Cnicht,' meddwn a'm dwy law am ei law ef.

'Ia . . . Yno am byth.' Eiliadau heibio. 'Mynd i alw'r Cychwr . . . ' sibrydodd.

'I groesi'r Traeth?'

'Yn barod . . . croesi . . . croesi drosodd . . . '

Gweddïais. Adroddais y pader . . . a Salm 23 . . . 'O Dduw! Derbyn a bendithia enaid dy was ffyddlon, Dewyth annwyl, Humphrey Humphreys.' Gwenodd arnaf a chau ei lygaid.

Dim mwy heno, Tada.

Humphrey

To Mr. Griffith Wynn gent. of Ystumllyn, near Cricieth from the Reverend Humphrey Wynn of Bosbury, Herefordshire

Chwefror 1717

Annwyl Tada,

Derbyniais eich llythyr er mawr syndod i mi, fore heddiw. Nid wyf eto wedi llawn amgyffred ei gynnwys.

Soniwch fod Siôn wedi ei daflu oddi ar ei geffyl a'i fod yn o symol, ond ni ddywedwch beth yw ei gyflwr nac ychwaith ymhle y cafodd y godwm. Yn naturiol, mae un yn poeni'n fwy o gofio'r ddamwain gafodd Taid yn Lôn Dywyll.

Sylweddolaf eich bod mewn cryn helbul wrth fod Mag yn drwm ei chlyw a chwithau'n gorfod dibynnu llawer arni hi. Trueni, ddywedaf i, na fyddai El yn treulio rhagor o'i amser hamdden acw yn Ystumllyn i oruchwylio'r gwaith adeiladu ffyrdd a gwneud Ystumllyn yn fwy clyd ar eich cyfer. Ei gyfrifoldeb ef yw gwneud hynny. Pe bai ef yn codi ei fys bach yn anamlach byddai amgenach golwg ar bethau, ond ofnaf mai suddo'n ddyfnach i ddyled fydd ei hanes ac na fydd dim lles i Ystumllyn, nac ychwaith i chwithau, os pery ef i gerdded ei ddewisedig lwybr.

Pe bai'r tywydd yn caniatáu i mi deithio adref deuwn atoch ar f'union i esmwytháu eich blinderau, ond gwyddoch y gallai disgwyl i groesi'r Traeth Mawr yn ddiogel, ganol tywydd garw'r gaeaf, gymryd wythnos neu fwy, heb sôn am rannau eraill y daith. A chan fod Becca yn disgwyl ein cyntaf-anedig byddai'n annoeth i mi fentro peryglu fy mywyd.

Da chwi, ysgrifennwch eto'n fuan i ddweud sut mae Siôn. Ymdrechaf innau i gysylltu ag El i erfyn arno geisio cyngor meddygon Llundain i ni.

Prysuraf i anfon y llythyr hwn atoch rhag blaen. Anfonwn ein gobeithion cariadlon atoch eich tri.

Ydwyf eich mab diffuant,
Humphrey

To the Reverend and Mrs. Humphrey Wynn of The Vicarage, Bosbury, near Hereford from Mr. Griffith Wynn gent. and Miss Mag Wynn of Ystumllyn, near Cricieth

Ystumllyn, Cricieth 1717

Annwyl Humphrey a Rebecca,
Newyddion trist sydd gan Tada a finnau yn y llythyr

hwn. Bu farw Siôn ddoe yma yn ei wely yn Ystumllyn.

Dydd i'n derbyn i baradwys
At fab Duw yr hwn a'n prynwys,
Dydd sy'n rhoddi'r gŵn a'r goron
Yw dydd angau i bob Cristion.

Siôn ffyddlon, mor ddewr yn dioddef ei gloffni, bob amser yn ddi-gŵyn, ac yn dal i farchogaeth adref yn gyson i'n gweld ni. Bythefnos yn ôl baglodd y ceffyl ar Lôn Dywyll gan daflu Siôn i'r llawr. Torrodd esgyrn ei glun a'i fraich dde. Cymerodd annwyd trwm. Felly daeth i ben fuchedd Siôn a'i yrfa arfaethedig fel meddyg.

Diolch i ti, Wmffi annwyl, am dy ymdrech i geisio cyngor meddygon Llundain i ni, ond fel y gwyddom ni, deulu Ystumllyn, o brofiad, yn llaw Duw y mae ein hamserau, yntê?

Fel y rhed yr haul i'r hwyr,
Fel y treulia'r gannwyll gŵyr,
Fel y syrthia'r rhosyn gwyn,
Fel y diffydd tarth ar fryn,

Felly treulia, felly rhed,
Felly derfydd pobol cred,
Felly diffydd bywyd dyn,
Felly syrthiwn bob yr un.

Gyda geiriau hen Ficer Llanymddyfri anfonwn ein cariad atoch,

Tada a Mag

To Mr. Griffith Wynn gent. of Ystumllyn near Cricieth from the Reverend and Mrs. Humphrey Wynn of Bosbury, Herefordshire

Y Rheithordy,
Bosbury,
22 Gorffennaf, 1717

Annwyl Tada,

Bydd yn dda gennych glywed, bid siŵr, y bedyddiwyd eich ŵyr bach, Ellis Montague Wynn, Dei eum benedictus, yn yr Eglwys fore heddiw.

Roedd hi'n fore heulog, cynnes a chawsom wasanaeth hapus a'r plwyfolion i gyd un ai yn yr Eglwys neu'n galw yn y tŷ drwy gydol y dydd. Erbyn heno mae'r prysurdeb drosodd a'n mab ni bellach yn cysgu'n dawel yn ei grud a Becca hithau wedi noswylio hefyd.

Wrth gau drws y tŵr gynnau a chofio'r clychau yn canu heddiw daeth atgof ohonom ni'n mynd fel teulu drwy'r eira ers talwm ar hyd llwybr y sarn i Eglwys Ynyscynhaiarn i fedyddio Ritshi, a Dewyth Esgob wedi dod ar gefn ei geffyl o'r Gesailgyfarch i gynnal y gwasanaeth. Cofiaf fel yr oedden ni bron yn llenwi'r Eglwys – chwi a Mam, El a Siôn, Cat a minnau, Bobw, Guto Wyn a Mag a Dewyth. Trist meddwl eu bod i gyd wedi mynd a dim ond chychwi a minnau, El a Cat a Mag sydd ar ôl. Soli Deo Gloria. Pax omnibus.

Gobeithio y caiff Ellis bach blentyndod hapus. Pan fydd yn ddigon hen caiff fynd i ysgol breswyl yn Lloegr – dyna yw dymuniad Becca a finnau – ac yna i Rydychen neu'r Inns of Court. Ond cyn hynny, hoffwn ddod ag ef i Ystumllyn bob blwyddyn er mwyn iddo ddysgu am ein cefndir ni, ein hynafiaid a'n traddodiadau a deall arwyddion ein harfbais a dysgu siarad yr heniaith.

Cefais nodyn oddi wrth El o Garraway's Coffee House yn Exchange Alley yn f'annog i suddo arian yn y South Sea Company fel y gwnaeth ef. Mae modd gwneud ffortiwn meddai. Ond cofiaf Dewyth Esgob yn dweud bod y South Sea Co. yn codi arian mawr, £200,000 mewn bonds i brynu llongau, yr *Hope* a'r *Liberty*, y ddwy ohonynt i gludo miloedd o gaethweision o Affrica i'r West Indies. Bydd miloedd o bobl dduon arnynt felly yn cael eu trin fel anifeiliaid. Yn fy myw ni allaf weld unrhyw gyfiawnder yn hyn. Suddo arian yn y fath gwmni? Na wnaf fyth!

Gobeithiaf eich gweld, Deo volente, fis Awst a chael aros adref yn Ystumllyn am rai wythnosau. Bydd Becca yn mynd at berthnasau efo Ellis i Kimbolton, Swydd Henffordd.

Ysgrifennwch atom gynted ag y gallwch. Cura ut valeas.

Mae Becca yn anfon ei chariad atoch chwi a Mag, fel finnau.

Ydwyf yn wastad eich mab ffyddlon,

Humphrey

X: Newyddion annisgwyliadwy

Eisteddais yn y gadair siglo lle bu Lusa Joseff yn gweu hosan. Rhoddais foncyff arall ar y tân. Druan o'r hen Esgob yn marw ymhell o'i fro annwyl. Bu'r Monwysion yn galaru ar ei ôl hefyd, mi wn. Roedd o'n un ohonom ni wedi'r cwbl. Siŵr bod Humphrey Wynn a Rebecca yn fawr eu hiraeth, yn enwedig Humphrey. Yn teimlo ei golli. Heb sôn am deulu Ystumllyn. Dim modd bellach adennill rhialtwch y noson lawen hapus honno yn y Neuadd – yr hen Esgob yn chwarae pib ac yn canu cân ddigri – na'r sgyrsiau mynwesol efo Griffith Wynn a'i fath, na chlywed ei bregethu doeth yn yr eglwysi a'r bregeth enwog honno yn Abaty Westminster i gofio'r Brenin Siarl y Cyntaf a'i ddienyddiad, 30 Ionawr, 1649. Marw yn bedair a thrigain oed fu hanes yr Esgob, rwy'n cofio. Ei gyfraniad mawr ar ben – ond nid effaith ei gyfraniad ychwaith o bell ffordd.

Pa gyfraniad sydd gennyf fi ac a fydd gennyf fi i'w adael? Fawr ddim. Dim gwraig na phlant. A 'ngwaith? Yn hwylio'r moroedd? Llai fyth. Teimlwn yn ddi-fudd a lluddiedig. Syllais i'r tân.

A beth feddyliai Humphrey Wynn a'r Esgob ohonof pe gwyddent am fy mordaith gyntaf felltigedig i'r Caribî a dioddefaint y caethweision i'w glywed yn barhaus drwy'r oriau hir rheiny? Atgofion chwerw, poenus sydd yn cael eu hail-fyw yn aml, yn daer yn fy ymennydd. Gwell fyddai dal ati i ddarllen y llythyrau.

To Mr. Griffith Wynn gent. of Ystumllyn, near Cricieth from the Reverend Humphrey Wynn of Bosbury, near Hereford

19 Mai, 1718

F'annwyl Tada,

Daeth eich llythyr trist i law heddiw. Dof adref cyn gynted ag y gallaf, ond ofnaf gan fod dydd geni'r babi yn nesáu a chyflwr iechyd Becca yn fy mhoeni, na fyddaf yn bresennol yn angladd El, druan. Dei tibi pacem. Mae methu â bod gyda chwi a Mag yn alar i mi, ond yn sicr aros yma yn gwmni i Becca yw fy nyletswydd cyntaf.

Dof i Ystumllyn gynted ag y bo fy nyletswyddau yma yn caniatáu hynny.

Daeth geiriau Edmwnd Prys a glustnododd Nain Bodwrda yn ei Bibl bach i'm cof wrth ddarllen eich llythyr –

Y dydd y gelwais arnat Ti
Gwrandewaist ti yn fuan,
Ac yno nerthaist â chref blaid
Fy enaid i, oedd egwan.

Duw yn ei ras a'ch nertho chwithau yn ystod yr oriau tywyll hyn a'i gariad Ef fo'n eich cynnal. Mae Becca ac Ellis bach, fel finnau, yn anfon ein cariad atoch chwi a Mag gan obeithio y daw'r llythyr hwn acw heb oedi.

Ydwyf eich annwyl fab,

Humphrey

To Mr. Griffith Wynn gent. of Ystumllyn, near Cricieth from the Reverend Humphrey Wynn of Bosbury, near Hereford

Bosbury, mis Mawrth, 1719

F'annwyl Tada,

Yr oedd yn dda gennym dderbyn eich llythyr ddoe, er na soniwch amdanoch chi eich hun. Llosg calon oedd clywed am beswch Mag a chan diolch i Malan am ei photes bendithiol a'i chordial dail i'w gwella.

Cyn hir bwriadaf ddod adref i Ystumllyn oherwydd rhywsut neu'i gilydd bydd yn rhaid cael deupen llinyn ynghyd a cheisio talu y dyledion arswydus a adawodd El druan ar ei ôl. Wneuthum i erioed ddychmygu mai fi fyddai'n etifeddu Ystumllyn.

Ni wn sut y deuaf i ben efo'r dyledion. Bydd yn rhaid twtio rhywfaint ar yr adeiladau ac ychwanegu atynt ar gyfer llochesu fy nheulu cynyddol a rhoi cyfarwyddiadau i'r tenantiaid ynglŷn â choethi'r tir. Mae'r ffermwyr a'r tirfeddianwyr yn y rhan hon o'r wlad yn rhoi pwyslais ar dyfu meillion a rhygwellt fel porfa i'w hanifeiliaid. A mawr y canmol sydd arno. Dylid rhoi tro arni acw hefyd. Glasu'r tir a chodi ei werth fel y gellir cadw nifer helaethach o anifeiliaid nag a wneir yn bresennol. Mae lle hefyd i wella'r pridd a thyfu maip, fel y gwnaeth Edward Wynne yn Bodewryd mor llwyddiannus, a rhaid gwylio rhag torri gormod o'r coed.

Yn ogystal, bydd yn rhaid gosod darn o'r llyn i fagu pysgod a chodi pris ar bysgotwyr cefnog i ddod yno i bysgota.

Un peth sydd yn glir iawn i mi a hynny yw y bydd yn rheidrwydd arnaf i dreulio cyfnod go hir adref yn Ystumllyn yn fuan i roi trefn ar bethau, neu'r perygl yw y collwn ni fel teulu ein treftadaeth. Mae'n rhaid dod i'r afael â thalu'r morgais a gododd El ar yr ystad. Nid wyf yn ei feio am godi'r arian. Beth arall y gellid bod wedi ei wneud heb weld darostyngiad y South Sea Company ac economi'r wlad mor isel. Ond er mwyn fy mab, sydd yn etifedd Ystumllyn bellach, bydd yn rhaid i mi gyflawni llawer. Duw roddo nerth i mi. Mae gennyf gymaint i'w wneud.

Ni chlywsom ni oddi wrth Cat ers amser. Gobeithio bod pawb yn iawn yn Nhŷ Gwyn achos nid ei harfer hi yw bod yn fud ar unrhyw achlysur. Tybed beth ddaw o garwriaeth y mab, Robert, ac Elin, merch Ellis Wynne y Lasynys? Cofiaf un tro ers talwm pan fu Cat am drip i Faes-y-Neuadd iddi ddod adref yn byrlymu hanes am y sgolor o'r Lasynys. Pwy fyddai'n dychmygu amser hynny y datblygai yn ŵr eglwysig mor hallt ei feirniadaeth? A wyddech chwi mai Dewyth Esgob a'i harweiniodd i newid cyfeiriad . . .

[Darn o lythyr sydd yma – L.M.]

To the Reverend Humphrey Wynn of Ystumllyn, near Cricieth from Mrs. Humphrey Wynn of Bosbury, near Hereford

Bosbury, July 1720

Humphrey darling,

I received your most welcome letter this morning and am so happy to know that you are feeling stronger, and that the preparations are now completed for us to stay at Porthamel Isa in readiness for the move to Ystumllyn.

Ellis is very excited at the thought of seeing you again and has been putting Baby's dolls all in a heap in readiness for the journey. She, not understanding his motives, consequently has been very cross with him!

Mabel and Tom will be coming with us, Mabel assisting me with the children and Tom taking care of our bags, so that our journey which commences a week Wednesday next will be quite safe and to everyone's satisfaction.

I have arranged for Mrs. Smith to come and clean the Vicarage, following our departure, so that it will be nice for the Reverend Jones and his wife. Tom will move our furniture to the spare bedroom where they will remain until our return.

I hope you will be able to join us soon, my dear. Can you not find a man to oversee the work at Ystumllyn and take some of the responsibilities away from you for a while?

Dearest, try not to worry for between us we shall set it aright.

May God bless and keep you. Ellis and Baby send Daddy their hugs and kisses. We shall all be with you ere long, God willing.

Deus tecum,
I am your loving wife,
Rebecca

To Mrs. Catherine Owen of Tŷ Gwyn, Dolgellau from Mrs. Humphrey Wynn, The Vicarage, Bosbury, near Hereford

1724

My dear Cat,

I am in such despair. My dearest Humphrey died at Oswestry on the way home to Bosbury in the early hours before dawn yesterday morning. I was awoken by a loud knocking on the front door. It was a messenger who had ridden all night from the inn where Humphrey used to stay in Oswestry on his way home from Ystumllyn – with a letter for me from the innkeeper's wife, which I enclose for you and Mag to see. Perhaps you will send it on to Mag?

I am so overwrought. Humphrey was very tired when he left here for Ystumllyn about a fortnight ago to see a builder, and said he felt exhausted before starting off, and I, remembering his recent illness and knowing he had worked all year to organise the building of the new wing and other alterations, begged him not to go, but he was adamant. Ystumllyn seemed to cast a spell over him. He insisted that this was the last opportunity before the winter and that he was doing it for us and Ellis as the next heir to the estate.

We shall never live in Ystumllyn as a family now. All his wonderful dreams gone forever.

The funeral will take place next Monday and Humphrey will be laid to rest here inside the church he loved, just as his godfather, the dear Bishop, was interred in Hereford Cathedral – not far away.

I am so anxious about our little boy but I think it wiser for him to stay at school with his friends and tutors who will console him. Humphrey was so determined that he should receive a good education and grow to be a deserving heir to his beloved Ystumllyn. I shall see that his plans for Ellis are followed and bring him over every year as soon as he is old enough to travel. Baby is with me and a great comfort.

I have no heart to write further. You, dear Cat, will understand better than anyone what it means to be left behind. I pray that God comforts you and the children and grants you His peace.

I am your loving sister-in-law,
Rebecca

To Mrs. Humphrey Wynn at The Vicarage, Bosbury from Mrs. Emma Swaine, Royal Oak Inn, Oswestry

14 October 1724

Dear Mrs. Wynn,

It be my lot to write you this letter which do bring you sad news. Your dear husband the Reverend Humphrey Wynn did die peacefully at a quarter past two of the clock this morn. When he did arrive here the Reverend was very sick and I be very troubled. Then I do ask him to let me fetch Doctor Corfield to come to see him. But the Reverend he said he would be well in a couple of days he only wanting a rest. I made him a mess of potage and he said how much better he did feel. But still he do cough much and did look very ill. So I got up and did fetch Doctor Corfield. And he did come at once and did say Reverend was in a high fever and like to die and there be nothing he could do for him. Then he did say the Reverend be well cared for here. Then at half past one of the clock the dear Reverend he did fall into a deep sleep from which he woke not. It do grieve us sorely for we were right fond of Reverend Wynn he being a dear soul and kind. For we have known him all these years, he always staying with us here on his journeys back and fore.

I be very sorry for you and the two little children, Ma'am, as is Justin who do say to send a messenger to you straightaway with this letter.

I be your obedient servant,
Emma Swaine

XI: 1809 Bore drannoeth

Syllais yn hir i'r tân. Ar ôl darllen y llythyrau a'r dyddiaduron teimlwn fy mod yn adnabod teulu Plasty Ystumllyn yn bur dda dros y blynyddoedd, eu gobeithion a'u siomedigaethau, eu llawenydd a'u tristwch, efallai yn fwy nag unrhyw deulu arall a adnabûm erioed.

Roedd y gwynt wedi chwythu ei blwc a thipian y cloc mawr fel gordd yn y distawrwydd. Tybed beth ddigwyddodd i'r mab bychan, eilun ei dad, etifedd Ystumllyn? Cafodd ei eni mewn ardal hanesyddol bwysig felly gan fod Bosbury adeg Glyndŵr a chyn hynny yn fan cyfarfod i Gristnogion a phererinion. Roedd yn bentref adnabyddus. Roedd Dewyth Esgob wedi dewis lle da i sefydlu Humphrey Wynn . . . O ddarllen y llythyrau daw Rebecca drwodd yn glir fel gwraig gydwybodol, gariadus ac felly mae'n bur sicr iddi fynychu Ystumllyn efo'i phlant sawl tro a rhannau eraill o Fôn hefyd i roi breuddwydion ei gŵr ar waith . . .

Edrychais eto ar lun y ferch yn y *miniature* yn y ffrâm aur. Pwy oedd hi? Ai Cat Wynn ynteu Mag, ei chwaer? Rebecca Montague efallai? Na, nid y hi. Gwallt golau oedd gan hon. Mor wahanol i Nelw . . .

Pan ddeffrois yr oedd yn fore glân a'r byd i gyd yn wyn tu allan. Cefais fod fy nillad a'm hesgidiau yn hollol sych a gwisgais amdanaf. Roeddwn i'n sefyll ar drothwy'r ddôr yn gwylio'r haul yn codi pan glywais sŵn traed Lusa Joseff yn crensian drwy'r eira, ac euthum i'w chyfarfod.

'Bore da, Llew Morgan!' atseiniodd ei llais fel cloch drwy'r ffawydd. 'Gawsoch chi noson go lew?'

Wnes i ddim mynd i fanylion ynghylch afradlondeb fy nghwsg y noson honno, a sicrheais hi fy mod wedi treulio noson glyd iawn ac wedi cymryd yr hyfdra o fwydo'r tân yn y gegin fach.

'Mi wnaethoch yn iawn. Mi ddois i â dau wy i chi i frecwast,' atebodd.

Roeddwn yn awyddus i wybod mwy o'r hanes, mor awyddus nes 'mod i'n fwy na pharod i angori fy hun yn Ystumllyn am ddiwrnod arall, ac os byddai wy neu ddau yn fodd i gyrraedd y diben hwnnw, gorau oll.

Wrth fwyta fy mrecwast cyfaddefais fy mod wedi busnesa drwy gymryd golwg ar y 'llanast' y cyfeiriasai hi ato y noson gynt, nad oedd yn werth dim i neb bellach. Chwarddodd Lusa Joseff yn harti! 'Yn tydi o'n beth rhyfedd fel ma dyn yn lecio stwnsian drw' llanast pobol erill, d'wch?'

'Lusa Joseff,' meddwn heb ragor o wastraffu amser a chan ddangos y *miniature* iddi a'r lluniau, 'wyddoch chi rywbeth am y rhain?'

'O'r achlod!' llefodd gan godi'i dwylo. 'Wyddwn i ddim bod hwn ymysg y petha rois i o'r neilltu i'w taflu. Diar annw'l. Diar annw'l!'

'Pwy oedd hi?' gofynnais. 'A phwy yn y byd wnaeth bortread mor gywrain â hwn?'

Lledodd gwên dyner dros ei hwyneb wrth ateb. 'Jac wnaeth o. Doedd neb i'w guro fo drwy'r wlad am dynnu llun!'

Pan ofynnais iddi a fyddai hi'n fodlon dweud dipyn o hanes y teulu wrthyf, rhoddodd ei thraed ar garreg gynnes yr aelwyd ac meddai'n araf, 'Wel, Llew Morgan, mi gymra oria i ddweud yr hanes i gyd, ond gan fod y ffordd wedi cau, waeth i chi fod yn ista o flaen y tân yma yn Ystumllyn ddim, rhagor na cheisio bustachu gwneud llwybr drwy'r eira a gorfod troi yn ôl wedyn. Mi ddweda i beth o'r hanes wrthych chi.'

'Wel, diolch yn fawr, Lusa Joseff,' ochneidiais fy rhyddhad, yn eithaf bodlon fy myd.

Cododd Lusa Joseff ar ei thraed ac fel llong yn gostwng hwyl tynnodd ei barclod oddi amdani a'i blygu'n daclus. Ychydig wyddwn i bryd hynny am ddawn y cyfarwydd a feddai'r wraig nobl a eisteddai gyferbyn â mi y bore hwnnw.

Plethodd ei dwylo ar ei glin.

'Mae'n siŵr eich bod chi'n nabod y teulu'n dda,' meddwn gan feddwl yn fy niniweidrwydd bod angen procio'r stori o'i genau.

''U nabod nhw? Oeddwn, oeddwn, nen tad! Ers pan o'wn i'n bwt o beth yn dod i Stumllyn 'ma bob dydd yn llaw Mam. Hi oedd y cwc a Nain o'i blaen hi. Mi ddois inna'n forwyn fach yma pan o'wn i'n un ar ddeg oed ac yn brif forwyn wedyn nes priodis i.

Un o hen deuluoedd clenia'r fro 'ma oedd teulu Stumllyn, wchi. Roedden nhw'n deulu o hir dras a'u gwreiddia nhw'n gadarn yn yr hen fro 'ma – un o'r pymtheg llwyth, wchi. Mi fyddwn wrth fy modd yn gwrando ar Nain yn dweud sut yr oedd hi yma pan oedd hi'n ifanc achos mi roedd dipyn go lew o'r hen steil Gymreig yma adeg hynny.

Y co cynta sy gen i o fod yma – rhyw go bach sy gen i – ydi rhyw ddiwrnod ar ôl te pan oedd Mam wrthi'n gwneud jam mwyar duon. Roedden ni wedi bod draw ar ôl cinio i gyfeiriad Tyddyn Sguboria a Chefn Meysydd i hel y mwyar. Mi ro'n i'n ista yn y gadair fawr yn rhoi mwytha i'r gath pan gyrhaeddodd Twm Porthmon efo llythyr i Mistras Mag Wynn.

'Llythyr o Lundan!' meddai Twm wrth Mam gan gymryd cadair ac yfed ei laeth enwyn.

'O ho!' meddai Mam a'i llygaid yn fawr. 'Ydi O ar ei ffordd yma?'

Drannoeth cafodd pawb wybod gan Mistras Mag Wynn wrth y bwrdd brecwast beth oedd cynnwys y llythyr.

Doeddwn i ddim yn deall y cyffro wrth gwrs. Ond mi ddeallais o' wrth Mam fod Mistar Ellis Montague Wynn yn dod adref i Stumllyn a nad oedd neb wedi ei weld ers blynyddoedd. Pan oedd o'n fachgen ysgol mi fydda'n dod draw o Loegar i fwrw'r ha' ond doeddwn i 'rioed wedi 'i weld o wrth gwrs. Roedd yma hen ddisgwyl amdano.

Wel, un diwrnod mi gyrhaeddodd. Tua diwedd mis Awst oedd hi – 1742. Roeddwn i'n chwech oed ac yn gwisgo fy sgert wen newydd. Roedd Mistras Mag a finna yn cerdded o gyfeiriad y Llyn, wedi bod yn taflu briwsion i'r elyrch, pan glywson ni sŵn lleisia a cheffyla yn carlamu at y tŷ. Dyma Mistras yn codi'i sgertia i redeg ac yn dweud, 'Tyrd, Lusa fach. Mae o yma!' A dyma finna yn gwneud yr un fath â hi ac yn gafael yn fy sgert wen, ac wrth drio neidio dros bwll dŵr yn y cwrt mi syrthiais i'w ganol. Mi gyrhaeddodd y ceffyla'r un pryd.

Roedd pawb yn y cwrt.

Mi welis y gŵr ifanc gwallt gola, oedd ar y ceffyl blaen yn tynnu 'i het ac yn 'i chwifio hi yn yr awyr. 'Ystumllyn!' bloeddiodd. '*At last. Thank God!*'

A dyma fo'n neidio oddi ar ei geffyl ac yn cofleidio Mistras ac wedyn yn ysgwyd llaw efo pawb. Erbyn hyn roeddwn i'n trio cuddio gan fod mwd ar fy sgert wen a – wel a deud y gwir mi ro'n i'n fwd drosta. Ond, mi welodd fi. '*Come here, angel,*' medda fo. 'Mae gen i ffrind bach i ti.'

A dyna fo'n troi at un o'r ceffyla eraill ac yn codi hogyn yn ei freichia a'i roi o i lawr wrth f'ymyl i yng nghanol y cwrt. Hogyn bach du.

Roedd pawb yn sbio'n stond arnon ni'n dau. 'Dyma John,' cyhoeddodd Mistar. 'Mae John wedi dod yma yr holl ffordd o Affrica,' a dyma Mistar wedyn yn gafael yn fy llaw inna a dweud, 'A dyma ferch fach o'r un wlad *apparently*!'

Miri mawr fu wedyn ac mi ges i fy arwain gerfydd fy nghlust i'r golchdy gan Sidi yn ôl gorchymyn Mam – ond nid cyn dal llygad yr hogyn bach du a gweld y wên fawr ddaeth dros ei wynab o.

Tua naw oed oedd Jac. Jac oedd pawb yn ei alw fo. Ar y dechra roedd o fel cath wyllt o rwyfus ac yn malu siarad ryw iaith na allai neb ond Mistar ei dallt. Roedd Mistar yn meddwl y byd ohono ac yntau yn moli Mistar!

Ond doedd o ddim munud yn llonydd. Roedd o'n codi dincod ar ddannedd y morynion ac yn destun sbort i'r gweision. Mi fydda Sidi yn mynd o'i cho'n las efo fo a Chadwalad a'r lleill yn ei bryfocio'n ddidrugaredd nes bydda fo'n gwylltio'n gacwn ac yn cuddio wedyn am oria. Weithia mi fydda'n rhedeg at Mistar a mi fydda Mistar yn ei gofleidio ac yn rhoi sylw iddo fo. Ond doedd Mistar ddim yma bob amsar.'

Tra oedd Lusa yn paratoi paned arall teimlais yn anesmwyth iawn wrth feddwl am ymddygiad Jac wedi iddo gyrraedd Ystumllyn. Yn amlwg, roedd arno ofn mawr. Ailgofio eto y fordaith gyntaf echrydus honno o Affrica – cludo llanciau a bechgyn ifainc a merched oddi wrth eu teuluoedd a'u cynefinoedd i'w hallforio a'u ffeirio yn y Gorllewin pell am siwgr. Am siwgr! Ordors gan y capten i aros ar y dec. Disgwyl tra byddai'r dwylo eraill yn bargeinio, dal, rhwymo, cadwyno a chasglu'r bobl dduon. Roeddwn i'n llygad-dyst i'r bryntni a'r diffyg gofal. Oedd gennyf fi ran yn y fath beth? Oedd, a bod yn onest. Dewis mynd wneuthum i, er mor ifanc oeddwn i. Ysfa am antur. Y môr yn galw . . .

Yfais y baned a wnaeth Lusa Joseff yn ddiolchgar.

Aeth hi ymlaen â hanes y teulu.

'Un diwrnod mi fu pawb yn chwilio amdano drwy'r dydd. A wyddoch chi ble'r oedd o? Ym mhen ucha'r goeden nesa at y tŷ! Wedi gweld a chlywed y cyfan o'r hylabalŵ. O, un drwg fydda fo ac yn tynnu pawb yn 'i ben. Ond roedd hi'n anodd peidio â madda iddo fo achos roedd o mor ddel! Llygaid gloyw, gloyw a chorff fel slywen a gwên fel yr haul. O'r diwrnod cynta un roedd o'n fy ngweld i'n greadures ddoniol iawn. Arhosodd yr atgo ohonof fi wedi fy mhlastro mewn mwd efo fo gydol ei oes, mae'n siŵr. Mae'n debyg 'mod i wedi achub ei gam o rhag sylw pawb ar y cwrt y diwrnod hwnnw er mawr ryddhad iddo.

Yn y dyddiau cynnar rheiny roedd o mewn rhyw helynt neu'i gilydd bob dydd, ac yn y farchnad ym Mhenmorfa mi fydda pawb am wybod, 'Sut mae petha tua Stumllyn wsnos yma?' Aeth yr hanes fel tân gwyllt drwy'r ardal fod Mistar Ellis Montague Wynn o Stumllyn wedi dod â bachgen du adra efo fo yn was. Wel, roedd prynu caethwas yn arfer digon cyffredin dros Glawdd Offa yn y dinasoedd a'r porthladdoedd prysur, 'ddyliwn i, ond Jac oedd y cynta a welwyd yn y cyffinia yma.

Mi rydw i'n cofio un diwrnod pobi. Roedd Sidi wedi gosod y toes ar y stôl haearn wrth y tân i godi tra oedd hi'n picio allan i'r ardd i nôl mintys. Mi es i efo hi. Pan ddaethon ni'n ôl i'r gegin dyna lle'r oedd Jac â'i ddwy droed noeth yn y badell bridd yn stompio'r toes. Wel, mi roddodd Sidi waedd a neidio amdano a'i daflu o allan gerfydd ei war i ganol yr ieir gan weiddi, 'Hwdwch o. Hwdwch y diawl bach! Pigwch y cythral bach nes bydd o'n berwi!' Roedd o'n crio'n arw, wchi, ac mi roedd gen i ffasiwn biti drosto.'

'Profiad garw iawn i unrhyw blentyn,' meddwn i, 'druan bach.'

'Ia, ond ar hynny pwy ddaeth i'r golwg ond Mistras Mag Wynn. Ddywedodd hi yr un gair ond mynd ato fo a'i godi o o'r baw, edrych ym myw ei lygaid yn garedig, gafael yn ei law a mynd â fo efo hi i mewn i'r tŷ. Ac mi aeth efo hi fel deryn bach. Do. Ar ôl ei folchi aeth Mistras â fo i'r ardd lysia a'r berllan, ac yno y buon nhw'n casglu ac yn bwyta 'fala. Roedd hi fel mam iddo. Cefais inna helpu i stwnsio'r 'fala wedyn i wneud diod 'fala. Un felly oedd Mistras Mag – calon feddal, ffeind ganddi.

Y noson honno, roedden ni i gyd fel arfer yn cael bwyd efo'n gilydd yn y gegin fawr, ni'r gweision a'r morynion efo'n gilydd ar un bwrdd a Mistar Ellis Montague a Mistras Mag ar fwrdd arall efo Jac yn sefyll tu ôl i Mistar. Ar ôl bwyta dyma Mistar yn peri i ni i gyd gofio mai John Ystumllyn oedd enw ei was o. Dyna'r enw roedd pawb i'w ddefnyddio a'n dyletswydd ni oedd parchu'r enw a'r bachgen. Roedd o'n fachgen da a ffyddlon, medda Mistar, ac yn gwybod mwy am y byd mawr tu allan nag y gwyddai'r cwbl ohonon ni efo'n gilydd.

Mi ddwedodd Mistras Mag y gras bwyd a gadawson ni'r bwrdd heb ddweud gair o'n penna. Do wir i chi!

Aeth petha o ddrwg i waeth ar ôl hynny rhwng Jac a'r gweision. Doedd o ddim yn un ohonon ni. Ond doedd o ddim yn un ohonyn nhw chwaith. Mi wnaeth araith Mistar fo yn fwy o adyn nag erioed o'r blaen a'i bellhau o oddi wrth y rheiny oedd wedi dechra gwneud ffrindia efo fo, y creadur bach. Mi gafodd ei fedyddio yn yr eglwys acw.' Amneidiodd Lusa i gyfeiriad Eglwys Ynyscynhaiarn efo'i phen. Cododd i fynd i'r pantri.

Sefais innau i ymestyn fy nghoesau ac i weld yr hen eglwys yn well er nad meddwl am yr hen eglwys oeddwn i, ond yn hytrach ystyried sefyllfa John Ystumllyn a'i dreialon. Oedd rhywbeth heblaw ei gartref newydd a'i amgylchfyd wedi ei ddychryn a'i frawychu? A oedd Jac yn un o'r llu tebyg i'r rhai a welais i ar y fordaith hunllefus honno yn cael eu pwynio i'r llong? A oedd ef yng nghanol y sgrechiadau arteithiol a'r oernadau a âi drwy asgwrn fy nghefn i a 'nghalon wrth groesi'r Iwerydd? Cywilydd i mi fod yn rhan o'r gêm. Ond nid myfi oedd yr unig un. Roedd eraill. Saeson a Chymry a phobl o wledydd eraill, hyd yn oed y brodorion eu hunain yn rhan o'r busnes. Gwŷr mawr cymdeithas fel Asserson. Pobl y capel hefyd. Ond nid ydyw hynny yn cyfiawnhau yr hyn a wnes i. Be haru mi i hwylio ar y fath siwrne? Natur rebel? Arian yn y boced? Ysfa mynd i'r môr? Difeddwl oeddwn i. Rhy hunanhyderus. Rhy hunangyfiawn. Mor ddiddim . . .

Doeddwn i ddim yn adnabod yr un ohonyn nhw wrth gwrs – bodau gwrthrychol oedden nhw i mi i gyd – ond roedd Lusa wedi adnabod y caethwas bach, wedi cydymdeimlo ag o yn bersonol, wedi rhannu profiadau a theimladau efo fo. Roedd Jac yn rhan o'i bywyd beunyddiol hi. Trwy Lusa daeth profiadau Jac yn fyw iawn i minnau.

Dyma'r foment pan sylweddolais yn ddwfn beth oedd gwir ystyr yr holl sefyllfa a ddigwyddai o'n hamgylch ni. Y byd mawr yn ddi-hid, yn ddidaro, y mwyafrif yn ddall i'r hyn oedd yn digwydd. Pŵer, cyfoeth ac anwybodaeth oedd yn rheoli . . .

Syllais drwy'r ffenestr ar yr hen eglwys oedd yn sefyll yn ei hunfan wrth Lyn Ystumllyn yn ddi-syfl yn yr eira. Cell un o'r hen seintiau cynnar, mae'n debyg, i gychwyn. Cynhaiarn Sant. Hen eglwys y teulu. Oedd y byd yn yr oes honno yn ddoethach, yn fwy cyfiawn, yn fwynach? Tybed a fu nain Nelw yn addoli draw acw? Tybed beth wyddai hi am gaethwasiaeth? A beth fuaset ti'n feddwl ohono i, Wylan fach, pe baet ti'n gwybod 'mod i ar y fordaith gyntaf honno? A ble'r wyt ti yn enw'r nefoedd? Ble'r wyt ti? . . .

Torrodd geiriau sydyn Lusa Joseff ar fy myfyrio, 'Mi gawn ni bowlennaid o gawl bob un, Llew Morgan, pan ddaw Seth yn ôl.'

Eisteddodd yn ei chadair siglo ac ailddechreuodd adrodd yr hanes.

'Mae'n rhaid ei fod o wedi ei eni ar noson leuad newydd, wyddoch chi, Llew Morgan,' meddai gan brocio'r tân, 'achos buan y dysgodd Jac siarad Cymraeg a Saesneg yn rhugl. Mi ddysgodd Mistras fo sut i sgwennu 'i enw, a chafodd yntau'r clwy o sgriffio 'i enw ar bob twlc a phostyn. Ond anaml iawn fydda fo'n chwerthin y dyddia hynny a roedd o'n bur unig, heblaw amdanaf fi. Doedd y gweision ddim wedi ei dderbyn o.

Wrth edrych yn ôl mae'n siŵr gen i fod Mistras wedi gweld hyn. Dynes gall oedd hi. Mi ddeallodd hi boen Jaco. Wy'ch chi be wna'th hi? Rhoi dwy iâr, un goch ac un wen, yng ngofal Jac. Wel, mi roedd o wrth 'i fodd. Ymhen sbel wedyn dyma fo'n dod i mewn i'r gegin â'i lygaid yn pefrio ac yn galw arna i i'w ddilyn o. I mewn â ni'n dau ar ein penna i'r cwt ieir bach, ac yno, yn un o'r ddwy nyth, roedd wy gwyn, newydd ei ddodwy. Roedd o'n wy perffaith heb yr un brycheuyn arno. Yn ara deg bach gafaelodd yn yr wy a'i ddal wrth ei foch ac yna wrth fy moch inna. Roedd o'n gynnes. Yna rhoddodd ei ddwy law fel cwpan am yr wy a'i gusanu fel pe bai o'n addoli gwyrth gynta'r cread . . .

Ychydig ar ôl hynny cafodd ddod efo fi a phlant erill y pentra at y Person am wersi a roeddwn i'n teimlo 'i fod o'n lot hapusach yng nghwmni plant o'r un oed ag o.'

Gwibiai'r tafodau tân rhwng y talpiau mawn yn las a choch ar yn ail. Cododd Lusa i roi dŵr yn y tegell.

Euthum innau at y ddôr ar y lwcowt am dywydd gwell. Digon llwm oedd hi oherwydd rhwystrai'r niwl fi rhag gweld dim pellach na deg llath. Beth ddaeth dros fy mhen i i ddod yma? Beth ydw i'n ei wneud yma? Capten llong yn gwastraffu amser yn gwrando ar straeon am bobl nad wyf erioed wedi eu cyfarfod! Ond efallai nad gwastraffu amser ydw i pe bawn i'n deall cynllun y Drefn . . . gweld y wawr roedden ni yn Ystumllyn . . . ble, Nain? . . . sôn am y wawr ac yn edrych ar y machlud . . . mi wyddoch chi ble mae'r lle? . . . mynd yno fyddai'r peth gora . . .

Ysgydwais fy hun. Trois drachefn am y gegin. Y cwestiwn nesaf oedd – os mai Jac wnaeth y llun yn y ffrâm aur, pwy oedd y ferch drawiadol yn y llun?

XII: Pwy?

Llyncodd Lusa Joseff ei phaned o de a dweud, 'Dyna fi wedi cael gwynt dan fy adain rŵan. Does yna ddim byd gwell na'r hen baned goch, yn nag oes, Llew Morgan? Mae 'na dunia o de yn yr hen blasty 'ma, wyddoch chi,' meddai wrthyf yn gyfrinachol, 'wedi cael eu gadael ar ôl gan y Montagues. Lwcus ydan ni, yntê?'

'Wel, ia. Mi rydw i'n ddiolchgar iawn i chi, Lusa Joseff. Paned ardderchog. A diolch i chi am fod mor hael efo'ch amser. Mae'r hanes yn ddiddorol iawn. Ond rŵan dwedwch i mi, pwy oedd y ferch hardd yn y llun 'ma?'

Chwarddodd Lusa Joseff yn harti. 'Wyddoch chi, Llew Morgan, pe byddech chi wedi gofyn y cwestiwn yna ryw ddeugain i hanner can mlynedd yn ôl, rywle yn yr ardal yma, mi fydda pawb yn gwybod ar unwaith mai dyn diarth fyddech chi!'

'Oedd hi mor enwog â hynny! Merch i deulu pendefigaidd y fro felly. Ia, mae golwg fonheddig, fodlon, gyfoethog arni.'

Pwffian chwerthin ddaru Lusa. 'Na, doedd ei theulu hi ddim yn gyfoethog. Pedlar oedd ei thad a dilyn ffeiria efo fo, ei mam a'i hefaill fu hi cyn dod i Ystumllyn – dyna sut roedd 'i thad yn ennill ei fywoliaeth. Bywoliaeth reit dda, cofiwch, a safle pedlar mewn cymdeithas mor bwysig os nad pwysicach na phorthmon.'

'Sut hynny, Lusa Joseff?' Er 'mod i'n forwr profiadol

roedd fy ngwybodaeth am fywyd ar y lan yn ddiffygiol iawn ar brydiau.

'Wel 'dych chi'n gweld, Llew Morgan, roedden nhw'n arfer teithio o'r naill ffair i'r llall ar draws y wlad ac yn amal iawn i Loegar. Yn gwybod am y newyddion diweddara a'r baledi poblogaidd, yn gallu eu canu a'u gwerthu. Prynu a gwerthu cant a mil o betha fydda'n gwneud bywyd yn lliwgar a phetha hanfodol . . . '

'Wel, wyddwn i ddim eu bod nhw mor bwysig, Lusa Joseff. Rydych wedi rhoi darlun newydd i mi ohonyn nhw. Ond beth am ferch y pedlar, yr hogan ddel?'

'O ia, mi roedd hi'n hogan ddel. Gwallt cyrliog, melyn, hir a ll'gada glas. O ochor 'i mam roedd hi'n hanu o deuluoedd Hendre Mur, ochra Trawsfynydd a Maes-y-Neuadd, Talsarna, yr ochor arall i'r Traeth Bach. Ond ar hyd blynyddoedd cynnar ei hoes, cafodd ei helcyd o un ffair i'r llall, ei mam yn dawnsio a'i thad yn pedlera. Yn ffair Dolgella ddaru ei rhieni hi gyfarfod a mi roedd teulu Hendre Mur yn stowt iawn i ddechra pan glywson nhw am y garwriaeth. Ond mynd i lawr oedd y ffeiria, wchi. Dyna pam daeth Poli yma i helpu. Roedd pobol yn troi at y capeli a'r pregethu yn y caea ac yn sbio i lawr eu trwyna ar fynd i ffair. Bechod, wchi. Colli sbort.'

'Ddaru Jac setlo yn Ystumllyn?' gofynnais.

'Jaco? Do, do. Mi setlodd ar ôl i Mistras Mag Wynn 'i gymryd o dan ei hadain. Mynd â fo i Eglwys Ynys-cynhaiarn bob Sul. Dysgu penillion ac adnoda iddo fo ac ar ei ben blwydd yn ddeg oed rhoi ei Bibl bach ei hun iddo fo yn bresant. Mi drysorodd Jac hwnnw yn fwy na'r un anrheg arall gafodd o erioed, dwi'n siŵr.

Ond anifeiliaid ac adar oedd ei hoff betha fo, a bloda a llysia o'r caea. Roedd o'n ddewin efo llysia, rêl apothecari pan dyfodd yn hŷn. Ac wrth fynd yn hŷn bydda fo'n treulio llai a llai o amser yn y gegin a mwy o amser fel bwtler i Mistar.

Weithia mi fydda'r ddau yn mynd i Lundan. Roedd rhai pobol yn dweud bod Mistar yn gwario'i arian fel dŵr a'i fod o'n bur hoff o'r ddiod. Wn i ddim am hynny, ond roedd rhai yn sylwi nad oedd o'n gwario'r un ddima goch ar Ystumllyn ac yn achwyn bod yr hen blasty'n mynd rhwng y cŵn a'r brain.'

'Sut un oedd o, o ran golwg?'

'Un anghyffredin. Roedd 'i wynab o'n felyn fel dail baco, fath â wynab bycanîyr, faswn i feddwl. A mi roedd 'na sôn, wyddoch chi, ei fod wedi gwneud ffortiwn ar y llonga mawr wrth brynu a gwerthu siwgwr. Roedd o'n fêl ac yn fefus, felly synnwn i ddim. Ond mi fynna Jac mai Mistar achubodd 'i fywyd o yn Affrica. Dyna roedd Jac yn ei ddweud. *Ship's doctor* oedd o, 'ddyliwn i. Dyn anghyffredin.

Un noson a Sidi newydd orffen halltu penwaig, dyma bump o foneddigion yn carlamu i mewn i'r cwrt. Aeth Mistar â nhw i'r parlwr bach a galw ar Sidi i ddod â gwin i mewn a chynnau'r canhwylla. Dyna ddaru hi, a gadael yr hambwrdd wrth y drws. Wel, toc, dyma Sidi yn meddwl y basa hi'n mynd i nôl yr hambwrdd o'r parlwr a dyma hi'n agor y drws yn ddistaw bach, bach. Roedd y lle'n fochynnaidd o fwg baco a'r ystafell fel parddu o dywyll ar wahân i un gannwyll ar ganol y bwrdd mawr, a'r dynion yn ista o'i amgylch â'u dwylo ar y bwrdd. Fel yr oedd Sidi ar fynd i gydio yn yr hambwrdd dyma rhyw lais yn dechra siarad rhyw lol botas a phâr o lygid yn dod i'r golwg o'r tu ôl i'r cwpwrdd. Aeth Sidi o'no am ei bywyd! Ysbryd oedd o, meddai hi. Roedd ei hwyneb hi fel y galchan pan ddoth hi'n ôl i'r gegin.'

Chwarddodd Lusa Joseff wrth gofio.

'Mi fydda Mistar a Jac yn chwara drymia hefyd, wchi, un naill ben i'r gors a'r llall y pen arall, ac yn anfon negeseua at ei gilydd bob yn ail. Hynny am oria weithia.'

Cyn i Lusa fynd ymlaen efo'r hanes daeth Seth i mewn. 'Ia wel,' meddai ei fam wrtho, 'pwy ond ti fasa'n bedlama c'yd a hitha'n amsar cinio! Lle rwyt ti wedi bod? Yn stwna efo'r cwt ieir 'na eto a finna wedi dweud wrthat ti am beidio? Ia?'

'Meddwl 'i drwsio fo!'

'Waeth i ti heb. Mae o wedi gweld 'i ddyddia gwell fel y gwn i'n iawn. Heblaw hynny, nid ein cyfrifoldeb ni ydi mela efo petha tu allan fel y gwyddost ti. Mae'r cawl 'ma'n barod ers meitin,' dwrdiodd. 'Ty'd yn d'laen rŵan!'

Mewn dau eiliad ymddangosodd y cawl. Cawsom lond powlen bob un. Difyr oedd gweld yr hen Lusa yn tendio yn garcus ar ei mab a hithau newydd ddweud y drefn wrtho.

Ar ôl y cawl cennin blasus aeth ymlaen â'r hanes.

'Diwrnod mawr i'w gofio oedd hwnnw pan ddaeth Mistras Cat Owen i ymweld o'r Tŷ Gwyn, dros y dŵr o Feirion. Roedd hi'n hen wraig bellach, bron yn bedwar ugain. Ond yn reit heini ac yn hollol siŵr o'i phetha. Aeth Mistar â hi rownd y tŷ. Doedd hi ddim wedi gweld Ystumllyn ers pan oedd o wedi ailwampio'r plasty. Roedden ni braidd yn anesmwyth yn y gegin achos ni oedd wedi gorfod clirio'r hen feddianna i wneud lle i'r 'nialwch', gair Sidi, oedd Mistar am roi yno yn eu lle. Tad Mistar, y Parchedig Humphrey Wynn, oedd wedi goruchwylio adeiladu'r parlwr bach, y llofftydd uwchben a'r seler oddi tano ar gyfer yr amser pan fydda fo a'i deulu yn symud yma i fyw o Loegar ac wedi gwneud job dda ohoni – pawb yn dweud. Yn fan'no roedd llyfra'r Parchedig ac yn y cwpwrdd cornel hefyd – lle byddwn i wrth fy modd yn cael cipolwg arnyn nhw – roedd y gwydra lliw o Fenis. Ar un o'r muria bydda'r tapestri hardd, gymaint â'r mur mwya yn y plasty. Mi gawson ni ordors i'w symud nhw i gyd, achos roedd Mistar isio lle i gadw'i ddrymia a gosod crwyn anifeiliaid y jyngl ar y walia, a phob math o gerflunia o gwmpas, yn wyneba a chyrff noethlymunwyr o Affrica. Welsoch chi ffasiwn weddnewid ar ystafell erioed!

Roeddwn i yn y gegin fawr yn twtian pan agorodd Mistar ddrws y parlwr bach i Mistras Cat Owen.

'O! O!' meddai, bron colli ei gwynt, gan edrych o'i hamgylch. 'Be fasa 'mrawd druan yn 'i ddweud. 'I stydi hardd o!'

'Dowch, dowch, Modryb. Peidiwch â bod mor ddigalon,' medda Mistar yn ysgafn.

'O Ellis bach! Be fedra i ddweud? Be wyt ti wedi'i wneud efo casgliad llawysgrifa dy dad a'r llyfra gwerthfawr gafodd o gan Dewyth Esgob? Roedd o'n meddwl y byd ohonyn nhw. O, a'r tapestri wedi mynd hefyd.'

'Do,' meddai Mistar, 'y cwbl lot. A beth sydd i mewn yn y cwpwrdd cornel?' A dyma fo'n agor y cwpwrdd yn union yr un fath â dyn sioe yn cyhoeddi'r paffiwr, 'Foneddigion a Boneddigesau!'

Teimlwn fy hun yn fferru wrth sbio rownd cornel y drws – roedd yn y cwpwrdd bedwar penglog. Llewygodd Mistras Cat.

'Lusa! Dos i nôl diod o ddŵr!' gorchmynnodd Mistar gan godi 'i fodryb a'i rhoi hi ar y setl yn y neuadd fawr. Yn raddol, dadebrodd Mistras Cat Owen.

'Ydach chi'n iawn, Modryb?' gofynnodd ynta gan weld yr holl beth yn gasgan o jôc, 'Nid fi a'u lladdodd nhw, wyddoch chi!'

'Ellis bach, be ddaw ohonot ti?' medda hi'n wan. 'Ble rwyt ti wedi rhoi petha dy dad?'

'Wedi cael gwared arnyn nhw, Modryb. *They were no use to me.*'

'O diar, diar!'

'Cymrwch ddiod rŵan.'

Ganol pnawn roedd hi'n dal i ista ar y setl ac yn dod ati hi ei hun. 'Dydi o ddim yn fater i mi be wyt ti'n gadw yn y cwpwrdd cornel, Ellis. Nid mater i mi ydi hyn'na.'

'*Quite right*, Modryb!'

'Ond y gwydra lliw o Fenis oedd ynddo fo. Mi wyddost ti mae'n debyg mai anrheg priodas i dy rieni oedden nhw gan Charles Montague.'

'O, ro'n i'n gwybod hynny. Mae'r gwydra'n saff.'

'Wel, diolch byth am hynny!' Wedi seibiant, holodd am y tapestri.

'Yn siŵr o fod yn saff yn y tŷ yn rhywle 'run fath â phopeth arall.'

'Gwranda, Ellis bach. Tasa Morus yn fyw mi fasa fo'n gallu siarad efo chdi yn well na fi ac egluro'n well, ond mae'n rhaid i mi ddweud hyn wrthot ti. Pam wyt ti'n meddwl yr aeth dy dad yn rheithor i Bosbury? Wel, un o'r prif resymau oedd am fod yr incwm yn ddigon da i gynnal ei deulu, ond yn Ystumllyn roedd ei galon o ar hyd ei oes, wyddost ti. Fo drefnodd i adeiladu'r stydi 'ma. Mae llythrenna ei enw fo ar y mur tu allan – H.W. 1720, fel y gwyddost ti'n iawn. Dy dad safiodd Ystumllyn ar ôl i dy Ewyrth Ellis ei forgeisio fo am chwe chan punt. Dy dad roddodd drefn ar y lle, a gofalu bod y tir a'r llyn yn cael eu trin yn gywir. Roedd o'n edrych ymlaen at gael dod adre i Ystumllyn i gofnodi'r llawysgrifa ar ôl ymddeol o Bosbury – gwaith Gruffydd Phylip, ein bardd teulu ni, a gwaith Siôn Phylip, Owen Gruffydd, a William Llŷn a llawer eraill ohonyn nhw. Owen Gruffydd sgwennodd y farwnad honno i alaru ar ôl tad Dewyth Esgob. Roedden nhw'n gwneud gwaith pwysig, wyddost ti, yn cadw achau ac yn barddoni i ddathlu priodasa a nodi marwolaetha ac achlysuron arbennig o bwys i'r teuluoedd bonheddig. Nhw oedd ein haneswyr ni. Nhw oedd yn cadw'n traddodiada ni'n fyw. Roeddan nhw'n mynd at Hen Nain Bodwrda ac i Benyberth at deulu 'Nhad. A phawb yn ffrindia efo nhw.'

'Modryb bach, mi rydw i'n gwybod am y traddodiada, *poets and all.* Roedd Mam yn dod â ni yma bob blwyddyn, *as you know*, ac yn dysgu fy chwaer a finna sut roedd pawb yn byw *long ago. Things are different today . . .* '

'*Different* wir! A dyna i ti'r Esgob annwyl wedi gadael y llyfra roedd o wedi eu casglu mor driw, i dy dad, 'i fab bedydd o, papura gwerthfawr a chanrifoedd o waith ynddyn nhw.'

Roedd hi'n dweud y drefn yn hallt.

'*What proof have you got*, Modryb? *Be realistic*,' meddai Mistar yn gellweirus. 'Pa brawf sy gynnoch chi bod fy nhad yn mynd i dreulio'i amser yn gweithio arnyn nhw? Welsoch chi mo 'Nhad am flynyddoedd ar ôl iddo fynd i ffwrdd.'

'Pa brawf? Pa brawf wir!' Cododd ei llais. 'Roedd o'n frawd i mi, 'nd oedd? Does dim rhaid i mi brofi be rydw i'n ei ddweud! Mi gawson ni'n magu efo'n gilydd, 'n do? Fi oedd ei ffrind penna fo. Heblaw hynny, roedd y prawf yn y tŷ 'ma nes i ti, nes . . . i . . . ti . . . 'i . . . ddifa fo. Rwyt ti wedi newid popeth – hyd yn oed yr iaith yn y tŷ! Ond os wyt ti wir angen prawf ar ddu a gwyn mi gei di o, achos mae gen i lythyr adre anfonodd dy fam, druan, ata i pan fu farw dy dad. Mi anfonaf y llythyr hwnnw i ti. Mi ddylet ti ei ddarllen o, Ellis. Mae dy fam yn cyfeirio at yr holl gynllunia oedd gan dy dad ar dy gyfer di yn y llythyr hwnnw – dyna'r prawf i ti. Rŵan, mi hoffwn i gael gair efo'r gweision a'r morynion, os gweli di'n dda, ynglŷn â'r llawysgrifa a'r llyfra.'

Cawsom ein galw i'r neuadd. Roeddan ni i gyd wedi bod yn gwrando ar y ddrama yr ochor arall i'r drws. A dyma ni'n sefyll yn un rhes o'i blaen hi.

'Rŵan!' meddai hi gan sythu ei chefn. 'Mi fuoch chi'n brysur yn clirio'r stydi? . . . Do. A mi rydych chi wedi mynd â'r llawysgrifa a'r hen lyfra i rywle? Do? . . . Do. Wel rŵan, Sidi, ble maen nhw?'

Camodd Sidi ymlaen. 'Mistras Owen, mi gawsom ni orchymyn i gael gwared o bopeth oedd yn y parlwr bach. Mi aethon ni â'r gwydra lliw, fesul darn, yn ofalus i'r llofft newydd uwchben fan hyn. Mi ddaru ni rowlio'r tapestri yn ofalus a'i gario fo i'r llofft fawr a'i osod o ar y pared yno.'

'A'r llawysgrifa a'r llyfra, Sidi?' meddai Mistras Cat Owen.

Cymrodd Sidi ei gwynt. 'Aethon ni â nhw o'r parlwr bach i'r iard. Roedd rhai ohonyn nhw'n afiach, yn dylla pryfid ac wedi llwydo. Erill yn felyn ac yn rhacs gyrbibion ac ogla mwg arnyn nhw. Mi ofynnais i Jac wneud tân i'w llosgi nhw.'

Ddywedodd neb air.

'O,' llefodd Mistras Cat Owen, gan ysgwyd ei phen yn drist drwy 'i dagra a thyndroi 'i dwylo, 'dydych chi ddim yn deall!'

A dyma Jac yn camu ymlaen.

Cododd Mistar ei ben yn syn, 'Sgen ti rywbeth i'w ddweud, *good boy*?'

'Oes. Wnes i ddim eu llosgi nhw.'

'Be wnest ti efo nhw?' holodd Mistras Cat Owen.

‘Mi rydw i wedi eu cadw nhw.’

‘Cadw nhw? I be wnest ti hynny!’

‘Ro’n i’n meddwl eu gwerthu nhw.’

‘Wel, rhaid dweud bod hyn’na’n gwneud mwy o synnwyr na’u difa nhw,’ oedd sylw Mistras Cat Owen. ‘Eu gwerthu nhw felly?’

‘Ia.’

‘Pam eu gwerthu nhw?’

‘I gael arian yn fy mhoced.’

‘O, ac i be mae arnat ti eisia arian yn dy boced?’

‘I brynu modrwy.’

‘I brynu modrwy i ti dy hun.’

‘Nage. Modrwy briodas.’

‘A’n helpo ni! Ac i bwy mae arnat ti eisia prynu modrwy briodas, John Ystumllyn?’

‘I ’nghariad i, Mistras Owen.’

‘A phwy ydi dy gariad di, lanc ifanc?’

‘Fi,’ medda Poli gan daflu ’i chyrls dros ei hysgwydda a gwenu fel giât. ‘Fi ydi cariad Jac.’ Doedd hi’n malio yr un botwm corn am neb.

‘Hawyr bach,’ llefodd Mistras Owen. ‘Chlywais i ’rioed y fath ffwlbri.’ Trodd at Mistar Ellis. ‘Wyddost ti am hyn, Ellis?’

Roedd Mistar yn glana chwerthin. ‘Maen nhw’n ffrindia,’ atebodd.

‘Ffrindia wir! A wyt ti, Poli, wedi bod yn trafod hyn efo dy deulu yn Hendre Mur, ’sgwn i?’

‘Naddo.’

‘Naddo m’wn. Dydi dod â sen ar hen deulu hynafol a’u traddodiada ddim wedi taro dy ben di, debyg?’ A dyna hi’n troi ar Mistar ac yn dweud â’i gwefusa hi’n dynn, ‘Mi gaf air efo Mag cyn mynd adref i setlo’r busnes yma. Rŵan, Ellis, gyda dy ganiatâd di, mi arbedaf i’r llawysgrifa a'r llyfra rhag eu tynged yn ffair Penmorfa a'u hailgartrefu yn y Tŷ Gwyn os aiff Jac i'w nôl nhw i mi.'

'*Of course*,' medda Mistar. 'Mi gawn ni siarad eto,' meddai gan droi aton ni a rhoi winc i Jac.'

Gwenodd Lusa wrth gofio. 'Roedden ni, staff y gegin, wyddoch chi, Llew Morgan, a'r mwyafrif o'r hen hogia oedd yn gweithio tu allan ar y stad yn bur hoff o Mistar, er nad oedd pawb yn cyfaddef hynny.

O'r hwyl gawson ni yn y gegin y noson honno! Dynwared pob gair, ystum ac edrychiad. Ond byr fu'r hwyl achos gawson ni ordors i bacio'r llawysgrifa a'r llyfra yn ofalus am ei bod hi'n dychwelyd i Feirion drannoeth.'

Daeth cysgod o wên dros wyneb Lusa Joseff wrth gofio . . .

'Ond bora drannoeth, dyna'r wobr yn dŵad. Ar ôl iddo ffarwelio â'i fodryb, Mistras Cat Owen, dyma Mistar yn dod aton ni i'r gegin ac ista i lawr. Safodd Jac y tu ôl i'w gadair yn ôl ei arfer. 'Na,' meddai wrtho, 'stedda'n fan'ma, *good boy*, mi rydw i am dy ganmol di a diolch i ti am achub y dydd ddoe. Ti oedd arwr y dydd. Ti achubodd ran pawb yn y gegin drwy gadw'r llawysgrifa a'r llyfra. Ti gadwodd fi yn *good books* Modryb Cat. Diolch i ti am hynny. Ti, John Ystumllyn, achubodd draddodiada a hanes Plasty Ystumllyn rhag mynd yn *extinct*. *Good lad*, John Ystumllyn! *You're a hero.* Diolch yn fawr iawn i ti.'

Roedd pawb yn llawen, yn clapio ac yn curo cefn Jac. A mi gawson ni i gyd godiad yn ein cyflog. Do, yn wir i chi. Roedd Jac yn wên o glust i glust, o fora gwyn tan nos, a Poli ar ben ei digon, er na chafodd hi aros yn Ystumllyn.'

Ar ôl darllen y dyddiaduron nid oedd poendod Mistras Cat Owen yn syndod i mi. Roedd ei geiriau hi am werth y meddiannau a hanes y teulu yn hollol wir, wrth gwrs, ond pwnc arall oedd hanes Poli. 'Tybed beth ddigwyddodd rhwng y ddwy chwaer, hi a Mag?,' gofynnais.

'Wn i ddim,' meddai Lusa Joseff. 'Dynes ddi-droi'n-ôl oedd Mistras Cat Owen, wyddoch chi, a braidd yn ffroenuchel yn fy marn i. Sôn am sen ar deulu a hen draddodiada wir! Rhyddhad i fam Poli, 'ddyliwn i, oedd gadael hyn'na i gyd, a chael dilyn ei phedlar. Ac on'd oes gynnon ni i gyd ein hen draddodiada, rhai nad oes angan mynd i stêm yn 'u cylch? Dwi'n sicr y basa hi wedi rhoi sac yn syth i Poli oni bai am Mistras Mag. Un addfwyn oedd hi ac yn nabod y ddau yn dda. Yr unig beth wn i ydi fod Poli wedi symud o Stumllyn yn reit handi a chael gwaith mwy proffidiol yn Ynys Gain Isaf. Arhosodd Jac yma yn Stumllyn. O ia, dwi'n cofio rŵan. Mi glywis i hi'n deud wrth Mistras Mag fod Robert, y mab, yn ffrindia mawr efo merch y Lasynys ac y bydda'r papura yn siŵr o fod yn ddiogel felly. Wn i ddim be oedd hi'n 'i feddwl.'

'Oedd Ynys Gain Isaf yn bell o Ystumllyn?'

Chwarddodd Lusa. 'Doedd yr un lle yn bell i Jac, lle'r oedd Poli yn bod!'

'Roedden nhw'n gallu cyfarfod felly?'

'Oeddan. Aeth Jac yno un noson i'w gweld hi. A dyma ŵr y tŷ yn dod ar draws y ddau yn y gegin. Hanner nos oedd hi. Wel, mi fu yno rycshiwns! Dyma fo'n bygwth ymosod ar Jac ond cymrodd ynta'r goes cyn iddo gael cyfle.'

'Beth am Poli? Oedd ei swydd hi yn y fantol unwaith eto?'

'Cafodd Poli orchymyn yn syth bìn i'w heglu hi o'no ar doriad dydd.'

'Beth wnaeth hi wedyn?'

‘Beth allai hi wneud ond mynd adra i Ddolgella i chwilio am ’i rhieni.’

‘Hen dro.’

‘Wel, cyn bo hir mi gefais neges gan y porthmon oddi wrthi – bod hi a Jac yn priodi ac am i mi ddal y cwch o Bwllheli a chroesi i Feirion. A dweud y gwir wrthoch chi, doeddwn i ddim isio mynd.’

‘Pam, dwedwch, a chitha yn gymaint ffrindia?’ holais.

‘Wel, roedd arna i ofn’. Petrusodd. ‘Wel, doedd bawd ’y nhroed i ’rioed wedi bod yn agos at gwch, na dŵr y môr, a doedd cofio’r englyn hwnnw fydda ’Nhad yn ei adrodd fawr o help i mi a dweud y lleia. Mi fydda ’Nhad yn casglu englynion, wyddoch chi, ac yn hen law ar eu cyfansoddi nhw hefyd. Amser bwyd, a ninna o gwmpas y bwrdd adra, mi fydda yn ein cadw ni’n ddiddig drwy ddweud stori neu adrodd englyn. Ydach chi’n cofio yr hanes trist am Siôn Phylip, y bardd, yn boddi ar ei ffordd adra o Bwllheli? Nac ydach, debyg, a chitha yn byw yn Sir Fôn. Wel, mi sgwennodd ’i fab o, Gruffydd Phylip, bardd teulu Stumllyn, yr englyn hwn oedd yn mynd drwy ’mhen i drwy’r nos ar ôl derbyn llythyr Poli, a llais ’Nhad yn ei adrodd. Englyn i’r cychwyr oedd yn rhwyfo’r arch drosodd o Bwllheli i Ardudwy, cartra’r bardd:

O fwyn ddynion bob yn ddau – cyfarwydd,
Cydfwriwch y rhwyfau,
Tynnwch ar draws y tonnau
Y bardd trist yn y gist gau.

Mae’r geiria yn dal i ddod â dagra i fy llygid i. Beth bynnag, doedd fiw i mi ddweud hynny wrth Poli achos mi wyddwn yn iawn be fasa hi’n ddweud: ‘Twt lol, paid â chyboli. Mi fyddi di’n iawn siŵr.’ Dyna fasa hi’n ddweud.

Wel i chi, mynd wnes i ar ôl pendroni'n hir. Daeth Sidi, o bawb, efo mi.

Roedd Poli yr ochor draw yn ein disgwyl ni. Sôn am groeso gawson ni yn y bwthyn yn Nolgella gan rieni Poli. Erbyn nos, am fod 'i thad hi'n bedlar roedd yr holl dre yn gwybod ein bod ni wedi cyrraedd. Priodi yn Eglwys Dolgella ddaru nhw a chael bendith ei rhieni. Fu rotsiwn wythnos! Gwnïwyd ffrog briodas brydferth iddi, un wen a rhosod bychain drosti. Un o'r jôcs mwya oedd arwyddo'r llyfr cofrestru. Y Person yn dweud wrth Jaco y gallai roi croes gyferbyn â'i enw ac yntau'n ufuddhau, er ei fod yn gallu sgwennu'n iawn, a Poli yn gwneud yr un peth er ei bod hithau hefyd yn gallu sgwennu'i henw.

A'r dathlu mawr ar ôl y gwasanaeth. Allan wrth gwrs oedden ni. Chwrlibwrli o noson! Y cwrw yn hael a'r bwyd yn dod yn boeth o'r dafarn i'r byrdda, y cwmni yn heintus a'r sgwrsio a'r hwyl yn diasbedain yn ddiddiwadd. Roedd yna chwech o delynorion a Jâms Pedlar a thri arall yn chwara ffidil. Y dawnsio ar y strydoedd! A phwy welis i yn y dafarn ond y cychwr oedd wedi bod yn gwneud llygid llo bach arna i yn y cwch, a dawnsio efo fo y bues i.

Ond dyna sŵn drymia ac mi wyddwn i o'r gora mai Jaco oedd wrthi, a dyma sgwâr y dre yn llenwi'n sydyn. Roedd rhywun wedi codi llwyfan bach y tu allan i'r dafarn a lampa'n ola arno fo a dyna lle'r oedd Jaco mewn siwt sidan sgleiniog efo'i ddrymia. Aeth pawb yn ddistaw. Ymddangosodd Jâms Pedlar yn y cefn mewn clog lluchddu, crafát coch am ei wddw, ei fysedd yn llyfu'r ffidil i greu hen alaw hoff.

Ac allan o'r cysgodion pwy welis i ond Poli mewn gwisg laes, sgarlad a siôl ddu efo ffrinj hir iddi a chlocsia coch am ei thraed. Dechreuodd symud yn hudolus fel neidar, gan guro'i chlocsia i gydsymud â churiad swyn y drymia. Yn ei llaw roedd hi'n troelli gwyntyll fawr, gan hanner cuddio ei gwynab efo hi weithia ac yn ei throelli uwch ei phen dro arall. Dyma'r miwsig yn cyflymu o dipyn i beth a Jaco yn rhoi mwy o bwysa ar y drymia nes ei fod yn eu curo nhw fel anifail gwyllt, a hitha'n symud yn nwyfus a byrlymus fath â tasa rhywun wedi rhoi tân dani. Ac wedyn yn hollol annisgwyl dyma'r miwsig yn arafu'n raddol a hitha'n arafu efo fo a'i symudiada hi'n mynd yn fwy breuddwydiol, fel cath wedi yfed gormod o lefrith, nes dŵad at y curiad olaf, bron yn sibrwd, ac o'r ffidil daeth suon hudol, a Poli erbyn hynny wedi taflu'r wyntyll a'r siôl heibio, yn moesymgrymu yn urddasol tuag at y dyrfa fel delw . . .

Aeth y dorf yn wallgo. A'r gymeradwyaeth a'r gweiddi yn fyddarol. Chawson nhw ddim llonydd ar ôl hynny. Yna daeth y telynorion a phawb yn canu ac yn clapio. Oria mân y bore roedd Jaco a Poli yn dawnsio'n glòs at ei gilydd ymysg pawb arall ohonon ni a Jâms Pedlar yn dal wrthi efo'i ffidil fel dewin.'

Caeodd Lusa ei llygaid . . . gorffwysodd ei phen yn ôl ar y gadair siglo . . . a gwenu gan siglo'r gadair yn ôl a 'mlaen . . . Tybiais ei bod ar fin cysgu.

'Ha, a dyna i chi, Llew Morgan, sut y daeth Margaret Griffiths – dyna'r enw bedydd roddodd teulu Hendre Mur iddi – yn Poli John Ystumllyn.'

'Wel, wel. Gawson nhw fywyd hapus?'

'Do, do. Roedden nhw'n deulu bywiog iawn, gellwch fentro, efo llond tŷ o blant, dau fab a chwech o genod, er iddyn nhw golli dau blentyn. Teimlodd Jac i'r byw pan fu farw Robert, y cyntaf-anedig, ond roedd John Ystumllyn yn ddyn cadarn, wyddoch chi, ac yn dysgu'r plant fel roedd Mistras Mag wedi'i ddysgu o, efo'i gofal tyner drosto. Mae o'n haeddu pob canmoliaeth am y ffordd ddaru o a Poli fagu'r teulu. Ydi wir. Mi wn i o brofiad achos roedd ein plant ni yn chwarae efo'u plant nhw. Nid fi ydi'r unig un yn yr ardal yma allai dystio dros hynny. Wrth dyfu i fyny dysgodd eu tad iddyn nhw bwysigrwydd gweithio'n galed a sut i fod o werth i'r ardal. Roedd Richard yn dysgu garddio efo'i dad, a'r genod yn dysgu gwaith tŷ ac ati. Teulu prysur oedden nhw i gyd yn canu a dawnsio, nofio a rhwyfo, yn anturio ac yn nabod yr ardal cystal â bodia'u traed.'

Gwelodd fi'n edrych ar y llun bach yn y ffrâm aur. 'Hoffech chi gael y llun bach yna, Llew Morgan?'

'Fi, Lusa Joseff?'

'Ia, wel mi rydech chi wedi dotio arno fo, yn do?'

'Do yn wir. Ei weld o'n ddarlun mor fedrus ydw i. Mi fydda inna yn paentio llunia pan fydda i ar y môr, llonga ran amla, ond dim byd cystal â hwn.'

'Cymrwch o. Dwi'n synnu ei fod yn y bag llanast 'na achos roedd o'n golygu cymaint i'r ddau. Ond mi aeth petha o chwith, wchi.'

'O?'

'Nid rhwng Jac a Poli. O na! Ond stori arall ydi honno.'

'Lusa Joseff, ydych chi'n dweud mai llun Poli ydi hwn?'

'Wel, siŵr iawn. Llun pwy arall fasa Jaco yn 'i dynnu?'

'Wel, wel. Oes yna neb arall hoffa ei gael o?'

'Wn i ddim am neb. Mae Jaco wedi marw, druan, wedi ei gladdu yn y fynwent yn y fan'cw. A mi rydw i wedi colli nabod ar Poli a'r teulu ar ôl iddyn nhw symud o'r ardal.'

'Fedra i ddim ond diolch yn fawr i chi, Lusa Joseff, am eich haelioni i mi. Diolch yn fawr iawn . . . '

'Peidiwch â sôn.' Cododd i fynd at y ffenestr. 'O, dacw Seth yn dŵad i orffen clirio. Mae'r tenant newydd i fod i gyrraedd yn ystod y gwanwyn, a ninna wedi cael ordors – *See that the house is spick and span*, fath â taswn i ddim yn gwybod sut mae Stumllyn i fod!'

Daeth Seth i mewn eto'n drwsgwl. 'Sut 'dach chi erbyn hyn?' holodd.

'Yn well o'r hanner, diolch, Seth. Wedi cael ymborth rhagorol a'ch mam wedi bod yn groesawgar iawn yn dweud yr hanes. Diolch i chi, Seth, am fy nghario i'r tŷ neithiwr.'

'Iawn. Mae 'na lot o hanas.' Cododd y bwndel 'llanast'. 'Ydi hwn yn barod i'w daflu?' gofynnodd i'w fam.

'Ydi, Seth bach.'

Ar rai adegau o'i fywyd mae dyn yn ymddwyn yn fyrbwyll a dyna ddigwyddodd y tro hwn. Heb betruso a heb ddeall pam y gwneuthum hynny, gofynnais a gawn i gadw'r bwndel. Edrychodd y ddau arnaf mewn syndod.

'Dydi o ddim gwerth rhech dafad,' myngialodd Seth.

'Wel, ar bob cyfri os ydach chi isio fo mewn gwirionedd,' meddai Lusa Joseff. 'Ond wnewch chi addo un peth i mi, Llew Morgan?'

'Gwnaf, os gallaf.'

'Peidiwch, da chi, â'u dangos i'r dyn Madocks 'na, na sôn dim wrtho am Stumllyn, neu mi fydd yn rhoi ei law yn ei boced i brynu'r lle a dyn a ŵyr be fasa'n digwydd i'r stad wedyn.'

Addewais yn ddifrifol na wnawn i byth grybwyll yr enw na dim o'r hanes wrth William Alexander Madocks.

Llonnodd Lusa Joseff drwyddi. 'A ha. Rydw i am wneud ychydig o uwd i ni'n tri rŵan i gyn'esu cyn cloi'r ddôr a mynd am adra . . . A hwrê! Mae'r hen Foel y Gest acw wedi tynnu 'i gap. A 'drychwch, Llew Morgan. Dacw ddigon o awyr las i wneud clos pen-glin i glagwydd. Mi fyddwch yn iawn i fynd rŵan.'

XIII: Ynys y Tywyn

Roedd hi'n meirioli. Ffarweliais â Lusa Joseff a Seth, gan ddiolch i Ragluniaeth bod y ddau wedi bod ym Mhlasty Ystumllyn pan gyrhaeddais flewyn cyn iddynt ymadael y noson honno am adref. Mor ffodus oeddwn i hefyd fod Seth wedi bod yn ddigon cryf i'm codi ar ei ysgwydd oddi ar y llawr pan lewygais.

Er hynny, wrth dreillio ymlaen yn araf drwy'r eira nid oeddwn yn hapus fy myd. Oedd gen i lygedyn o obaith ei darganfod hi, Nelw? Nac oedd. Ni wyddwn i ble i droi. Un bwriad clir, tebygol efallai oedd holi Siôn ymhellach, oherwydd agweddau Huw Dafydd a'r bugail a Siôn ei hun tuag at fy syniad o fynd i Ystumllyn oedd yn fy anesmwytho. Pam oeddent mor negyddol, mor rhybuddiol, mor ddirgel, mor dawedog ynglŷn â'r plasty? A oedd ganddynt amheuon am ysbrydion yn cyhwfan yno? A oedd gwybodaeth bellach am y teulu ganddynt na wyddwn i ddim amdani? A pham, yn ôl Lusa Joseff, yr aeth 'pethau o chwith' yno? Dylwn geisio cymell Siôn i ddadlennu'i resymau os oedd hynny'n bosibl.

Ymlaen tua'r dwyrain y cerddais, heibio Lôn y Felin heb weld y felin, heibio plasty hynafol Hendregadredd yn y coed a'r eglwys heb weld y naill na'r llall. Eitha manwl fu'r cyfarwyddiadau a gefais gan Lusa cyn cychwyn, ond roedd fy meddwl ymhell. A oedd Duw yn fy nghosbi am ymwneud â chaethwasiaeth? Mae rhai crefyddwyr yn credu bod a wnelo cyflwr y wlad â phobl fel fi ac mai cosbi'n gyfiawn wna'r Bod Mawr. Teimlwn yn euog a di-fudd.

Dyna gyrraedd y Wern a sylwi, wrth fod y machlud tu ôl i mi, bod yr haul yn taflu ei oleuni i'r entrychion gan ariannu ymylon y cymylau trymion uwchben ac o fy mlaen. Arwydd calonnog. Siriolais beth wrth eu gweld ac o feddwl am gyfarfod â Siôn Sceifiog unwaith eto. Wrth ganfod trwch yr eira yn toddi, cyflymais fy nghamre orau y gallwn.

Yn y man cyrraedd Ynys y Tywyn a chael Siôn yn ei swyddfa yn plygu ei ben dros lu o bapurau. Clywodd fi'n dod a gwenu, 'Wel! Dyma ti, yr hen bererin. Sut aeth hi tua'r Ystumllyn?'

'Siôn, mi gymra hydoedd i ddweud y cwbl wrthot ti.'

'Wel, paid â dechra rŵan. Mae'n amser i mi 'i throi hi am adra i Du-Hwnt-i'r-Bwlch. Beth am iti aros noson neu ddwy efo ni?'

Derbyniais y gwahoddiad hael. Ond gwyddwn yn fy nghalon fy mod wedi dyfod i ben fy nhennyn. Roeddwn wedi dilyn llwybr y posibiliadau yn ofer. Nid oedd trywydd arall. Roedd croeso Siôn a'i deulu yn frwd, mor ddilys nes llwyddodd i fy mherswadio i aros yn ardal y Gest am wythnosau.

Roedd Siôn yn feddylgar. Yn awyddus i'm gwneud yn gyffyrddus, rhoddodd wybod i mi am yr holl ddigwyddiadau lleol a'm harwain i fyrdd o leoedd a chyfarfod dwsinau o bobl. Cefais hanes manwl am y morglawdd ac nid yn unig y morglawdd ond am y cynlluniau, y problemau ariannol a dyledion Madocks a bwysai ar feddwl Siôn. Arno ef roedd y cyfrifoldeb o ddarganfod gweithwyr, eu trefnu, gosod tasgau, ateb llythyrau Madocks a dadansoddi ei freuddwydion, neu ei ddarbwyllo rhag gwario yn ormodol.

Roedd Madocks yn gwario'n hael. Yn wir, roedd bywyd Siôn yn llawn anawsterau. Gobeithiwn, wrth iddo rannu amser a phrofiadau, y byddwn yn ysgafnhau rywfaint ar ei faich. Roedd yn amlwg i mi mai'r cyfeillgarwch a feddai ef a Madocks, er maint yr anawsterau argyfyngus a fodolai, a gariai'r dydd iddyn nhw, gan beri iddyn nhw osgoi unrhyw ddiflastod parhaus. Edmygwn fy hen fêt yn fawr.

Deuthum ar draws rhai o longwyr yr ardal, un ohonyn nhw, fel y digwyddodd, yn berthynas pell i 'Nhad. Bûm ddyddiau yn ei gwmni ef. Roedd arno eisiau clywed hanes y teulu yn yr hen Ynys (ym Môn y ganwyd o) a hefyd hanes fy anturiaethau morwrol.

'Sut gwch sy gen ti, Llew?'

'Brig sy gen i ond ei bod ar ei gwylia'n cael ei thrwsio ar ôl ffrae gawson ni efo'r Ffrancwyr.'

'Dow hogyn! Fuest ti mewn helynt efo'r rheiny?' edmygodd fy ewythr. 'A'r hen graith 'na ar dy wynab di, ia?'

'Ia, yn yr un lle.'

'Fachgan! Fachgan!' ysgydwodd ei ben.

Sgwrsio buon ni. Efo fo y cefais fynd i'r Traeth Bach i weld y dynion yn adeiladu llongau. Er mawr ddiddordeb i mi deellais mai yma yr adeiladwyd y brig *Harlech Castle* yn 1787 aeth i St. Petersburg yn 1795 – honno ddaliwyd gan y Ffrancwyr y flwyddyn ganlynol. Cofiais na chafodd y criw yr achubiaeth gawson ni wrth gyfarfod â'r gelyn, oherwydd carcharwyd y capten a'r criw yn Ffrainc. Rhywsut neu'i gilydd llwyddodd y capten a dau o'r criw i ddianc oddi yno gan lanio yn Hythe, Swydd Caint. Wrth weld y gweithwyr wrthi fel lladd nadroedd yn adeiladu brig newydd sbon a sgwrsio efo'r llongwyr eraill oedd hefyd yn gwylio'r adeiladu yn fanwl, profais eto yr hen oglais yn fy ngwaed, y cynnwrf a'm gyrrodd y tro cyntaf i'r môr yn bedair ar ddeg oed. Cefais fy nhemtio . . .

roedd galwad y môr yn gryf o'm mewn, ond roedd llais Nelw yn galw hefyd – yn gryfach. Ond beth wnawn i heb drywydd yn bod? Â'r dyddiau'n byrhau, teimlwn mai dychwelyd i Fôn i weld y teulu oedd y cam nesaf i mi.

Nid dyna oedd cynllun y Drefn ar fy nghyfer. 'Wel, waeth i ti aros dros y Nadolig ddim,' meddai Siôn ryw ddiwrnod. 'Mi fydda dy deulu adra yn deall yn iawn gan dy fod yn rhannu'r Ŵyl efo ni'r Monwysion. Y Monwysion i gyd yn un giang.'

Diolchais iddo ac arhosais. Gorfodwyd fi i ffwdanu llai a gorffwys mwy. Roedd hi'n braf yn Nhu-Hwnt-i'r-Bwlch, y cartref yn hyfryd a gwraig a mab Siôn a'u ffrindiau mor hynaws a chwareus. Cefais gyfle i dwtio fy hun, cael torri 'ngwallt a siapio fy marf yn fyr-grwn o gwmpas fy ngên, yn ôl yr arfer. Ond yng nghanol yr holl gwmni wrth addoli'r Nadolig, y canu, y miri a'r hwyl, ni theimlais erioed mor affwysol o unig. Adyn ar gyfeiliorn. Dyna oeddwn i, hyd yma.

Un noson yn hwyr iawn, a dim ond Siôn a fi yn diogi o flaen y tân yn ei stydi efo tancard o gwrw bob un o'n blaenau, dyma fo'n gofyn, 'Be sy'n dy boeni di, 'rhen frodyn? Rwyt ti'n fud iawn weithia, anarferol i ti.'

Cyfaddefais fy mod i'n teimlo braidd yn isel weithiau. 'Dydw i ddim gwerth fy halan, 'ychan.'

'Sut felly, Lewsyn?'

'Mae hi'n anodd dweud . . . Wel, chwilio am rywun ydw i. Dyna pam es i o Ysbyty Plymouth yn ôl i Lerpwl. Dyna'r rheswm pam es i wedyn i Blasty Ystumllyn – meddwl 'mod i ar y trywydd iawn. Ond doeddwn i ddim.' Dywedais fy mhrofiad wrth Siôn. Bwrw 'mherfedd a bod yn onest. Roedd yn rhyddhad cael cyfle i siarad efo fo. 'Ddo i byth o hyd iddi hi rŵan, wsti. Mi rydw i wedi cyrraedd y clawdd terfyn.'

'Clawdd heb yr un twll defaid ynddo fo, tybed?' gofynnodd Siôn dan 'i guchia ac yn hanner gwenu.

Cofio fel yr oedden ni'n dau ers talwm wedi cropian drwy lawer o'r rheiny ar hyd caeau'r hen Ynys ar ryw hynt ddwl neu o grafangau rhyw ffarmwr gwyllt. 'O'r hwyl fydden ni'n gael, yntê?' meddwn.

'Ia. Mi rydw i'n dy gofio di'n mynd yn styc un tro, a finna'n gorfod dy hwffio di drwodd. Wyt ti'n cofio hynny?'

'Ydw siŵr.'

'Ia. Rwyt ti wedi colli dipyn go lew o bwysa ers hynny, Lewsyn . . . '

'Do. Mi ddaru'r rhyfel ddweud arna i, wsti. Ond mi rydw i'n teimlo fy mod i'n cryfhau ers pan gyrhaeddais i Du-Hwnt-i'r-Bwlch atat ti a'r teulu.'

'Mae croeso i ti yma unrhyw adeg, fel y gwyddost. Ond beth am y clawdd terfyn yma sy gen ti? Tybed nad oes yna dwll defaid sy wedi mynd dros gof neu tybed fedri di ddim dringo dros y clawdd, efalla? A dyna oedd yn cosi dy draed di. Doedd gen i ddim clem mai dyna oedd yn dy boeni di. Mae hi'n swnio'n ferch gwerth ei chael i ti fynd i'r holl drafferth i chwilio amdani,' gwenodd arnaf.

'Ond aros di. Gofyn roeddat ti, hefyd, pam yr oedd Huw Dafydd a'r bugail a minna yn taflu dŵr oer ar dy gynllunia di i fynd i Ystumllyn. Wel, o'm rhan fy hun, gwyddwn wrth gwrs nad oedd neb yn byw yno. Methu deall oeddwn i pam oedd arnat ti eisia mynd i blasty gwag. A gwyddai'r bugail hynny hefyd, mae'n debyg. Ond barn Huw Dafydd am y lle? Wel! Mater arall ydi hynny. Mi geisia i egluro i ti. Fel llongwr profiadol a llawer mordaith o dan dy felt, rwyt ti'n gyfarwydd â gwledydd tu draw i'n gorwelion ni yma, ac wedi cymysgu efo pobloedd y tu hwnt i'n profiada ni. Er hynny, rwyt ti'n un o'r un fro â mi, yn siarad yr un iaith, o'r un genedl.

Mae patrwm dy fywyd di adra yn debyg i fy un i ac mi rydyn ni'n ffrindia mawr, 'n tydyn?'

'Yn bendant.'

'Mae hynny'n golygu 'mod i'n dy nabod di'n dda . . . Iawn?'

'Iawn, Siôn. Dos ymlaen.'

'Wel, i'r Cymro cyffredin sydd heb adael tir erioed, na mynd dim pellach na chyffinia ei gynefin, iddo fo, ei fyd ydi ei fro enedigol, lle mae o'n nabod ei bobol, yn siarad yr un iaith ac yn gwybod am batrwm eu bywyd. Wel rŵan, dyma iti berchennog Ystumllyn yn cyrraedd yr hen blasty – dieithryn i'r mwyafrif ohonon ni, dyn od yn meddu sawl iaith a dull ei fywyd yn wahanol iawn, ei weithredoedd yn anghyffredin, perwyl ei yrfa tu hwnt i'n hamgyffred ni, dyn anodd i'w adnabod. Be sy'n digwydd?'

'Dwi'n deall. Ond rydw i'n deall hefyd oddi wrth Lusa Joseff ei fod yn meddwl yn fawr o Jac ac roedd o, cofia, yn ddyn dewr ei farn, wedi cael addysg dda, yn eang ei wybodaeth, yn gallu siarad yr heniaith er mor garbwl. Ac yn ôl Lusa Joseff roedd staff y gegin a'r gweithwyr ar y stad yn bur hoff ohono.'

'Digon gwir. Ond fel mae pobol yn hel straeon, mae o, y dieithryn a'i blasty yn tyfu'n fygythiad i'r fro. Ffeithia hollol ddi-sail yn cynyddu, yn sawru'n gryf o anwybodaeth sydd yn troi yn ofergoeledd, yn creu rhyw hen flas drwg lle mae Ystumllyn yn bod. Ac mae hynny'n magu siom a dicter yn amal mewn pobol fu'n parchu ac yn ffond o hen deuluoedd y stad a fu â gofal y fro a'r werin bobol yn agos at eu calonna. Felly, osgoi'r lle ydi'r peth gora i'w wneud. Dyna deimlad yr haid, yr agwedd ffasiynol, a fawr neb ffordd hyn yn anghofio. Ydi hyn'na yn ateb dy gwestiwn di, Lewsyn?'

'Ydi, Siôn, i radda. Ond nid un fel'na wyt ti. Dwyt ti ddim yn un o'r haid.'

'O, mae yna elfen arall o gymdeithas sy'n cymeradwyo, wrth gwrs, ac yn deall yn well am eu bod yn gwybod mwy.'

'Ia. Mae anwybod yn achosi llawer o drafferthion ac yn gallu bod yn beryglus. Yr un fath â mae syniada amheus yn gallu bod yn elfen amlwg o'r cybôl achos roedd gan Lusa Joseff, a llawer un arall, siŵr o fod, dwmpath o syniada amheus – ac amheus oedden nhw i Lusa – na fydden nhw'n fyr o'u lleisio, fel gorhoffter Ellis Montague Wynn o yfed a chyflwr aflêr y stad. Dydw i fy hun ddim yn credu mai dyna'r sefyllfa, oherwydd o'r hyn welais i, roedd y plasty a'r tir mewn cyflwr derbyniol iawn ac felly mae'n rhaid bod Ellis Montague Wynn wedi gwario arian a threulio amser ar y lle. Rydw i'n cyd-weld efo dy ymresymu di, Siôn, ond mae yna ddiffyg synnwyr pwyllog mewn pobol weithia.'

'O, oes, siŵr iawn. Wel, i ddal ati, mi wyddom fod straeon am bobol fawr, ddylanwadol yn gyffrous i rai. Pobol fawr oedd teulu Ystumllyn ac yn nabod pobol fawr ar hyd y lle, perthnasa a chyfeillion yma yn Eifionydd, yn Arfon, Meirion, Maldwyn, Llŷn a Môn, pob un teulu yn gyfarwydd â'i gilydd. Haen o gymdeithas sy'n ddiarth i ni efalla, ond o ddiddordeb i lawar. Mae hyn yn mynd â ni at dy glawdd terfyn di.'

'Sut felly?'

'Fel hyn. Dyma i ti be wna i. Mi holaf am drywydd pendant i ti os gallaf. Mi gymerith amser ond dylwn glywad si o ryw gornal o'r wlad yn rhywle.'

Ac ar ôl i'r hen Sionyn ymchwilio, ymhen ychydig amser, cefais fy hun yn camu'n fras dros gamfa yn y clawdd terfyn i gyfeiriad Plas Glynllifon yn . . . Arfon.

XIV: Arfon 1810

Yn ie'nctid y dydd roeddwn ar y ffordd. Cefais fenthyg Seiriol, ceffyl Siôn, achos bod y daith yn hir, meddai ef. Darganfu Siôn fod teulu Plasty Ystumllyn yn gyfeillion mynwesol ers cenedlaethau â theuluoedd Plas Glyn-llifon yn Arfon.

A oedd unrhyw arwydd yno i symbylu parhad y chwilio am Nelw ynteu ai siwrnai seithug fyddai hon eto? Roedd Siôn yn obeithiol y cawn drywydd.

Holais ym Mhlas Glynllifon ynglŷn â hanes John Ystumllyn ac yno cefais gyfarwyddyd i fynd i gyfeiriad y môr a dilyn y llwybrau i Gaecregyn. Ond gan ei bod yn hwyrhau arhosais y noson nid nepell oddi wrth y plas mewn tafarn gerllaw. Noson annifyr gefais i yno. Methais â chysgu. Roedd f'ymennydd yn gwibio i bob cyfeiriad. A fydd awgrym o hanes Nelw ar gael yfory? A phe down ar ei thraws hi yn rhywle byddai'n rhaid cyffesu 'mod i wedi bod ar y llong ddieflig honno yn y Caribî. Beth feddyliai hi ohonof? A beth am y graith 'ma sydd gen i? Fedra i ddim dangos fy wyneb iddi. Ac yn enw pob rheswm, be ydw i'n ei wneud yn fan'ma, yn llongwr o brofiad? Nid yma ar y tir y mae fy lle i. Beth bynnag, mae Nelw yn dilyn ei llwybr ei hun mewn gwlad arall, ymhell i ffwrdd. Mae hi wedi f'anghofio fi – ffaith sy'n rhaid i mi ei derbyn. Ffŵl dwl ydw i yn dal ati. Mae'n well i mi fynd yn ôl i'r môr . . . Roeddwn yn gymysgfa chwyslyd a phetrusgar ar ôl hel meddylia drwy'r nos.

Er hynny, ar ôl codi, teimlais yn benderfynol o fynd ymlaen. Yn hwyr yn y bore, ailgychwynnais. Roedd briallu Mair yn euro'r weirglodd ym mhlwyf Llandwrog, a Seiriol wrth ei fodd yn trotian y llwybrau troellog a finnau wrth farchogaeth yn mwynhau awel y môr. Penderfynais adael Seiriol yn y pentref.

Cerddais i Gaecregyn a churo drws y bwthyn to gwellt. Daeth gwraig fechan, fain i'r drws.

'Dowch i mewn,' meddai'n dawel. 'Roeddwn i'n eich disgwyl chi. Fe glywodd Richard, fy mab, eich bod chi wedi bod yn holi am fy ngŵr i yn y plas. Poli John,' meddai gan estyn ei llaw.

'O!' meddwn wedi synnu gan ysgwyd ei llaw. 'Diolch. Llew Morgan ydw i.'

Cefais fy arwain i ystafell fach dwt, gynnes yn wynebu'r gorllewin. 'Mae gen i neges i chi oddi wrth eich hen ffrind, Lusa Joseff. Doedd hi ddim yn siŵr ble roeddech chi.'

'O, yr hen Lusa. Sut mae hi? Wnewch chi eistedd, Llew Morgan? Tynnwch eich côt.'

'Diolch. Mae hi'n brysur iawn yn edrych ar ôl Ystumllyn efo'i mab, Seth, yn ei baratoi ar gyfer tenant newydd.'

Dywedais beth o hanes Ystumllyn heb sôn am wir bwrpas f'ymweliad. Gwrandawodd hithau'n astud. 'Mae gen i rywbeth yn y parsel bach 'ma i chi,' meddwn gan ei gynnig iddi.

'Tybed?' meddai, yn amheus, ond agorodd y parsel yn ofalus. Ddywedodd hi ddim am eiliadau. 'Diolch,' sibrydodd toc. 'Mae hwn yn golygu llawer i mi.' Dododd ef yn ddestlus yn nrôr y dreser.

Yna, heb godi ei llais, 'Gymrwch chi ddiod o laeth enwyn, Llew Morgan?'

'Diolch, Poli John. Mae gen i gryn syched,' atebais innau hi'n ddistaw.

Chwarddodd yn isel. 'Mi rydw i'n gostwng fy llais, Llew Morgan, am fod un o fy wyrese bach, un o'r nifer o wyrion a wyrese sy gen i, yn cysgu'n sownd yn y parlwr. Wedi blino'n lân.'

'O, gobeithio nad ydw i ddim wedi 'i deffro hi,' meddwn.

Aeth Poli John allan i'r cefn. Sefais innau i syllu ar y môr. Roedd yr awyr yn odidog yng ngwrid y machlud. Mor odidog! Tywydd braf yfory. Lliwiau cynnes ar draws y gorllewin . . . Sôn am y wawr ac yn edrych ar y machlud . . . weli di . . . gwelaf . . . pellhau . . . nesáu . . . dolennu . . . pellhau . . . os gweli di wylan . . . 'Llew!' Y llais 'na yn fy mhen i eto. Hanner breuddwydio. Hanner gobeithio, rŵan fy mod wedi dod o hyd i Poli John. Tybed a oes gan Poli John ryw syniad, rhyw syniad ble ar y ddaear y mae hi? Ydi hi'n gwnïo i deulu arall, teulu o'r capel efallai? Welodd hi rywbeth ar y docia i awgrymu sut yr oedd y Capten Asserson yn ennill ei fywoliaeth? Glywodd hi'r sŵn byddarol o'r gweithdai lle tyllwyd yr haearn i greu cadwynau a hualau a'u cysylltu er mwyn eu cloi am yddfau a fferau caethweision? Sylweddolodd hi pam yr oedd Asserson a'i wraig mor gefnog? Welodd hi'r llongau yn dadlwytho eu cargo dynol? Ai dyna pam y rhoddodd hi ei notis i Mrs. Asserson? . . . 'Llew Morgan?' . . . Y llais eto . . . Yn glir . . . yn agos.

Trois. Sefais yn syfrdan. Ia! Y hi! Y hi oedd hi . . . yma. Gwawriodd arnaf mai hi oedd yn sefyll o 'mlaen i. 'Nelw! O, Nelw, ty'd yma. Sut yn y byd? Wylan fach! O, o'r diwedd,' meddwn yn ei chlust. 'O'r diwedd . . . '

Daeth Poli John i mewn efo'r llaeth enwyn. A dyna egluro, synnu, dotio, chwerthin fuom ni.

'Newydd gyrraedd Caecregyn am yr eildro yn ei bywyd y mae Nelw,' meddai Poli John mewn syndod mawr.

Dweud fy hanes ar y môr wedyn a'r anlwc wrth frwydro, er bod y graith ar fy wyneb yn siarad drosti ei hun, a sut y cyrhaeddais Blasty Ystumllyn drwy'r storm a chyfarfod â Lusa Joseff a Seth.

Roedd y ddwy yn glustiau i gyd.

'Mae hyn yn achos dathlu,' meddai Poli yn llawen. 'Mi hwylia i bryd o fwyd i ni'n tri tra ewch chi'ch dau am dro.'

Cefais y teimlad fod Poli yn llywio'r sefyllfa ac yn wir, tra aeth Nelw i nôl ei chôt, dyma hi'n rhoi ei llaw ar fy mraich i gan sibrwd ac edrych i fyw fy llygaid. 'Dydi Nelw yn gwybod dim am Jac. Rydech chi'n deall be dwi'n ei feddwl, yn tydech, Llew? Cael ei magu gan berthnase i'w thad ddaru hi. Taw biau hi, Llew. Ŵyr hi ddim byd. A dydw i ddim eisie ei cholli hi eto.'

'Ond . . . '

'Na, byth eto. Dan glust 'ch cap, Llew Morgan! Rydech chi yn fy neall i, yn tydech?'

'Ydw.'

XV: Mynd am dro

Yn ddiweddarach ar ôl te, aeth Nelw a fi am dro i'r pentref.

'Beth am fynd i weld Seiriol?' meddwn i.

'Iawn,' atebodd Nelw. 'Ffrind i ti ydi hi?'

'O, mae Seiriol a fi yn ffrindia mawr,' meddwn, a 'nhafod yn fy moch.

'Ydi Siriol yn byw yma?'

'Seiriol, nid Siriol. Nac ydi. Dim ond aros yma am dipyn efo fi.'

'O,' yn siomedig ei llais. Oedd hi'n meddwl mai rhyw ferch oedd Seiriol?

Wrth nesáu at y dafarn, cyfarchodd gŵr y dafarn ni. 'Pnawn da. Wedi dŵad i weld y ceffyl ydach chi, Captan?'

'Ia,' meddwn, 'wedi dod â Nelw i'w weld o.'

Roedd wyneb Nelw yn bictiwr. 'O Llew. Ceffyl ydi dy ffrind di!' chwarddodd. Gwelais ei rhyddhad. Rhoesom fwythau i Seiriol a siarad efo fo. Yn y man, cychwynsom am y bwthyn ond dyna ni'n dod ar draws giât ffarm haearn rydlyd a phwyso arni yn ddioglyd.

'Dyna i ti olygfa i un sy'n hoffi arlunio', meddwn i. 'Cae gwastad o laswellt ir, gwartheg yn cnoi cil yn hamddenol, llwyn o goed yn fan'cw, y mynyddoedd yn gefndir a chysgod dau ar y giât.'

'Ia. Mi fydda'n gwneud llun da. Pa amser o'r dydd fyddai'r arlunydd yn ei roi yn y llun?'

'O, ryw adeg tua'r machlud i gael haena o liwia cynnes yma ac acw i greu awyrgylch.'

'Mm . . . mi fedra i ddychmygu'r llun.' Wrth ddal i

orffwys ar y giât ac edrych ar yr olygfa o'n blaenau, wedi munudau o ddistawrwydd, meddai Nelw, 'Ydi'r arlunydd yn cofio rhyw fachlud arall un nos Sul?'

'O ydi, yn cofio pob eiliad.'

'Mm . . . a hitha. Ydi o'n cofio'r gwylanod rheiny yn cylchu yn yr awyr?'

'Ydi, yn cofio pob cylch.'

'A hitha . . . ' Ysbaid o ddistawrwydd eto. 'Welodd o wylan yn dilyn y cwch, tybed?'

'Do, droeon.'

'Droeon?'

'Ia, droeon. Mi fydda fo'n hiraethu am 'i gweld hi bob dydd.'

'O.'

'Ar y ffordd o Chile dyma storm fawr yn taro'r cwch wrth rowndio'r Horn. Yna hwylio drwy'r Beagle Channel i gysgodi ac aros am gwpwl o ddyddia yn Ushuaia. Yn fan'no cafodd bwl creulon o hiraeth wrth feddwl na fyddai byth eto yn 'i gweld hi.'

'O trueni. Roedd hithau'n hiraethu hefyd . . . '

'Oedd hi?'

'Mm . . . o hyd wrth hedfan o gwmpas y byd yn chwilio amdano.'

'Pam oedd hi'n hedfan mor bell?'

'Roedd hi isio mynd ato fo.'

'Ydi hi'n dal i deimlo felly er bod ganddo fo graith ar 'i wyneb?'

'Ydi siŵr. Craith ar 'i wyneb o am frwydro dros 'i wlad? Wrth gwrs 'mod i'n dal i deimlo felly.'

'O, 'ngwylan fach i. Diolch i ti am hyn'na. Roedden ni'n dau isio bod efo'n gilydd.'

'Oeddem, Llew. Dau yn teimlo yr un fath,' gwenodd gan edrych i fyny ataf . . .

Ni phaentiodd yr arlunydd y darlun a ddychmygodd, ond bu'r giât fferm honno yn dyst i'r hyn a ddilynodd rhwng y ddau.

Ar y ffordd i Gaecregyn dywedais, 'Mi fues i'n chwilio amdanat ti.'

'Do wir?'

'Do. Es i weld Mrs. Asserson a dywedodd hi wrtha i dy fod ti wedi bod i lawr at y docia a'th fod yn 'upset' – dyna ei gair hi. Pam? Be roeddet ti'n 'i wneud yn fan'no?'

Edrychodd yn swil arnaf. 'Chwilio amdanat ti.'

'O,' meddwn, yn fud gan nad dyna a ddisgwyliwn iddi hi ei ddweud.

'Mi fues i yno dair neu bedair gwaith i holi a oedd dy long di i mewn. Mi ddwedson wrtha i dy fod wedi hwylio i Ddenmarc a'r Almaen a gwyddwn fod Napoleon wrthi yn rhyfela yn yr ardal honno.'

'Wel oedd, ac yn llwyddo'n rhyfeddol hefyd.'

'Oedd, mi wn i. Wel, un diwrnod es i lawr eto a deall bod dy long wedi cyrraedd tir, yno, yn Lerpwl.'

'Ond doeddwn i ddim arni!'

'Nac oeddet. Es i holi a chael nad oeddet ti ar fwrdd y llong pan laniodd hi.'

'Roeddwn i yn yr ysbyty yn Plymouth.'

'Ond wyddwn i mo hynny.'

'A dyna pam roeddet ti yn 'upset'?'

'Ia,' meddai.

'O, 'mechan bach i.' Aeth ei geiriau fel saeth i 'nghalon i. 'Be wnest ti wedyn?'

'Mi es adra i drio dod ataf fy hun ac i wnïo. Roedd gen i ddigon o waith gwnïo i'w wneud i Aiden a Cormac, fy nghefndyr, y ddau ohonyn nhw ar fin priodi a roedd arna i eisia gwneud be allwn i iddyn nhw.'

Aethom ni i'r tŷ. Ymhen munud dywedais, 'A finna'n

meddwl mai wedi gweld ar y docia yr hyn roedd Capten Asserson yn ei allforio o Affrica yr oeddet ti – y caethweision.'

'Na, ro'n i'n gwybod beth oedd gwaith Capten Asserson – allforio brodorion o Affrica a'u dwyn i ynysoedd a thir mawr y Caribî – dyna roedd o'n ei wneud. Dywedodd Mrs. Asserson wrtha i am hynny a phan fydda'r capten yn dod adra a finna'n gwnïo cwiltia iddyn nhw, mi fydda wrth 'i fodd yn adrodd hanesion digri a rhyfedd amdanyn nhw. Mi fyddwn i yn meddwl amdanat ti ac yn diolch nad oeddet ti yn rhan o'r math yna o fordeithio.'

'O Wylan fach, 'mach i. Ond mi roeddwn i'n rhan o rywbeth felly ar fy mordaith gyntaf un, y gyntaf a'r olaf. Gwelais ddigon o ddioddef a cham-drin caethweision i'm cywilyddio i benderfynu peidio ag ymuno â mordaith debyg byth wedyn.'

'O Llew, am siwrna ofnadwy gefaist ti.'

'Ia, ond cofia, doedd profiad pob caethwas ddim cynddrwg â hyn'na. Roedd ambell un ffodus yn cael perffaith chware teg a bywyd gwahanol mewn cartra da.'

'Mae'n dda clywed hynny,' meddai Nelw.

Clywodd Poli ddarn olaf ein sgwrs ni. Ychwanegodd, 'Ac yr oedd ambell un nid yn unig yn ffodus, ond yn haeddu cael ei werthfawrogi a'i achub, oherwydd ei gymeriad a'i bersonoliaeth a hefyd ei dras efalle.'

A dyna finnau yn amenio geiriau Poli. 'Gwir pob gair, Nain.'

Gwenodd yn ddeallus arnaf.

Wrth adael Caecregyn yn hwyr addewais fynd draw fore drannoeth yn gynnar. Gallwn arogli'r môr wrth gerdded i'm llety, arogl iach, ffres, cyfarwydd, a theimlo'n hapus braf wrth feddwl am Nelw ac mor agos oedden ni ar ôl bod mor bell oddi wrth ein gilydd.

Fodd bynnag, pendroni fûm i drwy'r nos wrth geisio datrys sut i fynd ati i drafod y broblem efo Poli. Dadleuais efo mi fy hun, 'Mae hi'n ddyletswydd arnaf gael sgwrs efo hi achos os na ŵyr Nelw ddim am Jac, ŵyr hi ddim yn iawn pwy ydi hi ei hun. Tybed ydi hi wedi cyfarfod Richard, y cyfeiriodd Poli ato ddoe? Naddo, mae'n siŵr. A sut mae Nelw am osgoi ei gyfarfod o a'r lleill os ydyn nhw'n arfer ymweld â'u mam? Byddan nhw'n sicr o fod yn chwilfrydig ynglŷn â fi, yn enwedig ar ôl clywed fy mod wedi bod yn Ystumllyn. Sefyllfa anodd i bawb. Mae gan Nelw hawl i wybod. Mae'n iawn iddi gael gwybod popeth am ei gwreiddia. Pam nad ydi Poli am adael iddi wybod y cwbl? Mae rhinwedda Jac ganddi i'w hadrodd. Wrth gwrs, mae mater y caethweision wedi mynd yn fater politicaidd bellach a chadw a chynnal caethwas yn amhoblogaidd, yn wrthun gwirioneddol i rai. Mae'r cyhoedd heddiw wedi dod i wybod mwy am y fasnach. A finnau wedi hwylio'r moroedd yn rhan ffiaidd ohoni . . . ' Noson ddi-gwsg gefais i, yn dal pen rheswm fel hyn efo mi fy hun i geisio cael ateb i'r benbleth.

Drannoeth pan gefais gyfle wynebais y tonnau. 'Poli John, ydach chi ddim yn meddwl yr hoffai Nelw wybod am Jac?'

'Wn i ddim.'

'Os na chaiff hi wybod mae hi am fyw ei bywyd mewn dryswch, mewn rhyw ddiffeithwch a ni fydd yn gyfrifol am hynny.'

'Mi ryden ni i gyd yn byw mewn rhyw fath o anialdir nes cyrhaeddwn ni'r nefoedd.'

'Wnewch chi wrando ar beth sydd wedi bod ar fy meddwl i drwy'r nos?'

'Ie . . . ?'

'Yn ôl Lusa Joseff roedd Jac yn gymeriad mor hwyliog

a lliwgar. Roedd pawb yn yr ardal yn hoff ohono, on'd oedden nhw? Pam na ddylai Nelw gael gwybod am ei thaid, am ei dricia fo a'i alluoedd disglair wrth ymwneud â phlanhigion, ei ddawn gerddorol o a'i feistrolaeth yn tynnu llunia mor gelfydd?'

'Oedd, roedd o'n ddyn arbennig iawn, Llew. Roedd o'n llawer mwy na hyn'ne hefyd ond mae'r gorffennol yn gymhleth.'

'Mi'ch helpa i chi, Poli John, os ydach chi'n fodlon. Bydd yn rhaid camu'n fân, mi wn, ond . . . '

'Os daw siawns, Llew. Falle . . . Ie, falle . . . Diolch i chi am eich consýrn. Mewn ffordd mi rydech chi yn llygad eich lle, ond dydw i ddim isie ei cholli hi eto. Pan ddaeth fy merch â hi yma i'w dangos i mi, flynyddoedd yn ôl, mi wnes i gamgymeriad wrth sôn am Ystumllyn. Roedd Sali wedi cau'r drws ar y darn yna o fywyd a mi wyddwn i hynny. Ond fel yr oedden ni yn eiste ac yn gwylio awyr y machlud, o rywle fel rhyw lewych, fe ddaeth yr atgo o Jac a finne efo'n gilydd yn deffro yn y boreue yn y bwthyn bychan roedd Mistar Ellis Montague Wynn wedi ei godi ar gyfer Jac. A dyma fi dest yn dweud y gair Ystumllyn ac yn sylweddoli y munud hwnnw 'mod i wedi tramgwyddo yn erbyn teimlade Sali.

Wnaeth hi ddim rhoi fawr o sylw i Jac ar ôl iddi briodi. Rhyw ddwywaith neu dair y gweles i hi a'i gŵr, Ryan O'Shea, ar ôl dydd y briodas, er 'mod i'n hoff ohonyn nhw. Ond diolch i Dduw, mi ffendiodd Nelw 'i ffordd yma. Mae'r hanes yn anodd iawn i'w adrodd. Mae yne gymaint o gymhlethdode. Fedrwch chi ddim deall fy ngofid i, Llew Morgan.' Edrychai mor drist. 'Hwyrach petaech chi'n gwybod yr hanes i gyd, Duw yn unig ŵyr be fydde'n digwydd . . . '

XVI: Y llun yn y ffrâm aur

Daeth y cyfle yn ddiarwybod. Ar ôl cinio gosododd Nelw ei dau benelin ar y bwrdd gan ofyn, 'Rŵan, Nain, wnewch chi ddweud dipyn o hanes y teulu wrtha i?'

Gwelais fflach o fraw yn llygaid Poli a chrychodd ei thalcen. 'Os dymuni di, Nelw fach.'

'Os gwelwch chi'n dda, Nain. Mi rydw i isio clywed y cwbl fedrwch chi gofio.'

Edrychodd Poli arnaf a phetruso. Amneidiais arni. 'Camu'n fân, yntê?' anogais.

Cododd Poli ac aeth i nôl y parsel o ddrôr y dreser, ei agor yn ofalus a dangos ei gynnwys dan wenu. 'Nelw, weli di'r llun bach yma? Llew ddaeth â fo i mi o Ystumllyn. Llun ohono i'n ferch ifanc, gwaith llaw John Ystumllyn,' meddai yn llawn balchder.

Syllodd Nelw arno'n hir. 'Mae o'n llun hardd, Nain. Taid wnaeth hwn?'

'Jac wnaeth hwn. Ie.'

'Heb hwn, Nelw, faswn i byth wedi dod o hyd i ti,' meddwn i. 'Mi aeth â'm sylw i y noson wyllt honno yn Ystumllyn, a'r gwynt yn wallgo a'r eira yn drwch tu allan. Fydda 'na yr un goleudy mewn unrhyw storm wedi medru gwneud ei waith cystal â hwn. Y llun hwn fflachiodd y goleuni ddaru f'arwain i, yn y diwedd, atat ti. Llun ddaru dy daid ei greu.' Rhois fy mraich amdani.

'Yn tydi hyn'na'n wyrthiol, Nain?' gwenodd.

'Ydi wir, Nelw fach. A mi rydw i'n synnu gymaint â thi ei fod o yma.' Aeth Poli yn ei blaen. 'Ond cyn dweud stori Jac mi fydde'n well gen i sôn am dy fam gan i ti ei cholli hi mor ifanc.'

'O na, Nain, stori Ystumllyn yn gynta, yn enwedig am fod Llew wedi bod yno'.

'Wel, os mai dyne sydd arnat ti eisie ei glywed.' Petrusodd Poli eto cyn ailgychwyn. 'Gwas oedd Jac yn Ystumllyn a finne'n forwyn yno yn helpu yn y gegin. Mi fydde'n mynd i Lunden weithie efo Mistar Ellis Montague Wynn ac yno y cafodd o y ffrâm aur. Roedd Mistar yn garedig iawn wrtho. Rhoddodd Jac y llun bach yma yn anrheg i mi ar un o ynysoedd y gors.' Daeth golwg freuddwydiol dros wyneb Poli John. 'Roedd hi'n nefoedd yno y pnawn hwnnw. Awyr las, las uwchben. Chwa o awel o'r gors yn cario persawr cynnes atom, cymysgfa o deim, mintys gwyllt, rosmari a blode'r gors yn garped pinc a gwyn a phorffor o'n cwmpas ni . . . Jac yn gwneud llunie, finne'n ffidlan gwneud cynffon cath i'w rhoi am fy ngwddw.'

'Cynffon cath, Nain?'

Gwenodd Poli. 'Ie, mi fyddwn i'n cymryd brwynen fel nodwydd a'i gweu hi drwy fyrdd o flode llygad y dydd a'i gwisgo'n dorch am fy ngwddw. A dyma Jac yn rhoi'r blwch del yma i mi ac ynddo roedd y llun – fy llun i o'i waith o.'

'O, am anrheg gwerthfawr, Nain,' meddai Nelw. 'Mi rydych chi'n edrych mor ddel. Mae'n rhaid ei fod o'n meddwl y byd ohonoch chi. Ydach chi'n cofio y tro cynta i chi gyfarfod Taid?'

'Ydw, yn iawn. Mae gen i lawer i'w ddweud ac mi gymerith amser. Ond pnawn 'ma rydw i'n gorfod mynd ar neges i'r pentre, ac ar fy ffordd adre mi alwaf i weld fy nghyfeilles, Siani. Ac os ydw i'n nabod Siani'n iawn, mi fydd hi'n debyg o 'mherswadio i aros i swper. Mae digon o fwyd yn y cefn i chi wneud pryd i chi'ch hunain – cig oer a phicls nionod ac ati, a tharten 'fala. Helpwch eich hunain i beth bynnag welwch chi. Cofiwch gadw golwg ar y tân yn y parlwr hefyd, os gwelwch chi'n dda, nes y do i'n ôl.'

Aeth Poli ar ei hynt. Sylweddolais innau mai prynu amser i ddweud yr hanes yr oedd hi.

Arweiniodd Nelw fi i'r parlwr. Wrth y ffenestr roedd bwrdd bach wedi ei osod ar ein cyfer a dwy gadair o boptu iddo, cadair siglo a stôl bren o flaen y tân. Yn y gornel roedd harmoniwm fach, dwt. 'Mae'n dda ein bod ni i mewn pnawn 'ma,' meddai Nelw gan edrych drwy'r ffenestr ar y glaw. Aeth at y harmoniwm a mynd i'w chwarae. Yna, meddai, 'Wnei di ganu rhai o'r caneuon fyddi di'n eu canu ar y môr, Llew?' Dyma ufuddhau. Troi wedyn at lyfr o ganeuon adnabyddus a chanu'r rheiny efo'n gilydd.

Es i eistedd yn y gadair siglo i mi gael edrych ar Nelw. Mor braf oedd bod yn ei chwmni.

'Wyt ti'n gyfforddus ar y stôl bren 'na?'

'Ydw.'

'Wyt ti'n siŵr?'

'Ydw. Pam?'

'Hoffet ti ddim dod i ista yn y gadair siglo?'

'I ble fyddet ti'n mynd wedyn?'

'O, mi faswn i'n aros lle'r ydw i.'

'O, Llew!' chwarddodd.

'Mae digon o le i ddau, wy'st ti. Ty'd!'

Gan wenu, daeth ataf a dyna siglo'r gadair.

Wrth sgwrsio a dod i adnabod ein gilydd yn well

aeth amser te yn angof. Erbyn amser swper roedden ni'n llwglyd ac aethom i chwilio am y cig oer a'r picls, y danteithion eraill a'r darten 'fala. Torrodd Nelw fara menyn a gwneud llond tebot o de. Aethom â'r pryd drwodd i'r parlwr.

'Mi wnest ti addo mynd â fi y noson honno i Ystumllyn. Wyt ti'n cofio?'

'Ydw'n iawn. Mi gadwaf f'addewid.'

'Pryd gawn ni fynd?'

'Wel, bydd yn rhaid cysylltu efo Siôn Sceifiog, yn gynta, a Lusa Joseff. Mi wnaf hynny cyn bo hir.'

Drannoeth, aethom ni i'r pentref i siopa a gwneud rhai negesau i Poli. Roedd Nelw am weld Seiriol a dyma fynd i'r stabl, gofalu bod digon o fwyd a diod ganddo a rhoi dipyn o fwythau iddo. Doedd Nelw erioed wedi bod mor agos at geffyl yn ei bywyd ond daeth yn ffrindiau mawr efo Seiriol yn syth. Wedyn, es â hi i'r dafarn i ddangos fy ystafell a chyfarfod y teulu cyfeillgar. Wrth grwydro o gwmpas y pentref daethom ar draws nifer o bentrefwyr sgwrsiog a gwneud ffrindiau. Cawsom bwt o ginio efo'n gilydd yn y dafarn ac ymgomio'n ddifyr efo sawl un. Felly y treuliasom ni oriau hapus y dydd cyn dychwelyd i Gaecregyn efo'r negesau.

Ar ôl mwynhau awr neu ddwy efo Poli, gan ei bod hi'n noswaith braf dyma fynd ar hyd llwybr cul y traeth. Roedd y llanw'n uchel a'r lleuad yn llawn. Cawsom hwyl yn neidio i osgoi'r tonnau. Doedd neb arall yno. Penliniais wrth y garreg wastad i ofyn i Nelw fy mhriodi. Atebodd heb betruso. Teimlem ein dau ar ben ein digon. Dychwelsom i Gaecregyn yn araf deg. Dweud 'Nos da' ar garreg y drws a ffarwelio tan y bore.

XVII: Stori Jac

Y prynhawn canlynol, wedi ymwroli, ailddechreuodd Poli adrodd ei hanes.

'Roeddech chi'n gofyn sut ddaru Jac a fi gyfarfod. Wel, ar fy ffordd o'r neuadd i'r gegin roeddwn i, a llond fy mreichie o lestri. Newydd ddechre ar fy ngwaith yn Ystumllyn a heb gyfarfod y gweision i gyd. Mae'r cyntedd rhwng y ddwy ystafell braidd yn dywyll a dyma fi'n gweld dau lygad mawr yn y gwyll yn dod tuag ataf dros ben y twmpath llestri a rhes o ddannedd gwynion yn dweud, 'Helô!' Wel, aeth y llestri'n deilchion! Crash o gyfarfod fydde Jac yn ei alw.'

'O, am ddigri,' meddai Nelw, 'ond os oeddech chi'n gweld ei lygaid o a'i ddannedd, pam ddaru chi ollwng y llestri?'

'Mi ges i fraw achos dim ond llyged a dannedd roeddwn i'n weld achos roedd Jac yn dywyll ei groen. Brodor o Affrica oedd o.'

'Na. Nac oedd,' llefodd Nelw gan sefyll a chamu'n wysg ei chefn fel petai hi'n ceisio pellhau ei hun oddi wrth ei nain. 'Dydi hyn'na ddim yn wir. Mi fasa Mam wedi dweud wrtha i. Nac oedd.' Taflodd ei hun ataf fel pe bawn i'n graig o gysgod iddi i'w hachub rhag anghenfil. 'Nid caethwas. Mi welis i nhw yn y docia. Nid fy nhaid i! Na!'

'Nid felly roedd hi arno fo. Nid felly, Nelw. Nid felly roedd hi o gwbl. Dyna pam fod arnaf eisie dweud . . .

O diar! . . . Y dyn clenia dan haul oedd o, y gore o feibion dynion,' meddai Poli. Cododd a mynd i'r cefn.

Cysurais Nelw orau y gallwn i. Rhois bwyslais ar ddewrder ei nain a gwroldeb ei thaid a llwyddiant priodasol y ddau yn byw yn onest mewn cymdogaeth oedd yn eu caru, eu gwerthfawrogi a'u hedmygu.

Pan ddychwelodd Poli roedd Nelw wedi tawelu peth a dod ati hi ei hun, debygwn i, ond roedd dagrau lond ei llygaid.

'Wyt ti'n iawn, 'mach i?' gofynnodd ei nain gan ddod â diod i ni'n dau.

Ni ddyweodd Nelw yr un gair.

'Ewch ymlaen os gellwch chi, Nain,' awgrymais.

'Efallai y bydde'n ddoethach i mi roi hanes dy fam yn eneth fach . . . '

'Stori Ystumllyn gynta.'

'Ydech chi'n siŵr?'

'Ydan.'

Wrth gydyfed meddai Poli, 'Mi rydw i'n teimlo fod yn rhaid i mi egluro un peth pwysig. Faswn i ddim yn disgwyl i dy fam yngan gair am Jac wrthyt ti, Nelw. Roedd y ddau yn gwneud yn dda efo'i gilydd, wyt ti'n gweld, yn ffrindie mawr, nes priododd hi dy dad. Mi newidiodd hi wedyn. Ei gŵr oedd popeth iddi, a mi roedd o'n ddyn golygus. Rhyw ddwywaith neu dair y bues i yn ei gwmni – Ryan O'Shea – dyn hael ei ysbryd, annwyl ei natur ond byrbwyll iawn, llawn jôcs.'

'Ia. Mi fydda Mam yn dweud 'i fod o'n honni y gallai arogli jôcs. A dwi'n cofio pan oeddwn i'n hogan fach bod yna lot o chwerthin yn tŷ ni.'

'Wel, dydw i'n ame dim, Nelw fach. Ond roedd hi'n anodd i'r ddau gadw deupen y llinyn ynghyd i dalu'r rhent, wyddost ti, ac felly gweithio'n galed oedd yr unig ateb. Sali yn gweini fel morwyn fach i deulu cefnog yn Lerpwl ac ynte yn labrwr i adeiladwyr.'

'Efallai mai gweithio i rai o'r adeiladwyr deithiodd o Fôn i lannau Mersi oedd o,' meddwn. 'Aeth cryn nifer o Fonwysion draw yno a llwyddo i wneud eu ffortiwn drwy godi tai, cannoedd o dai.'

'Falle wir, Llew. Ond newyddion trist gefes i oddi wrth Sali un diwrnod yn dweud bod Ryan wedi 'i ladd mewn damwain yn y gwaith. Mi sgwennes ati ar unwaith i'w hannog i ddod yma, hi a Nelw, i Gaecregyn. Roeddwn yn awyddus i gynnig cartre i'r ddwy. Ond mynnu dychwelyd wnaeth Sali achos roeddet ti erbyn hynny yn byw efo Auntie Dora ac Uncle Declan, Nelw, a Sali hithe'n dymuno bod ryw led troed oddi wrthyt ti. Mi roedd hi'n dy garu di'n fawr. Ofn i wynt chwythu arnat ti.' Gwenodd Nain yn dyner ar Nelw. 'Roeddwn i'n deall ei theimlade hi.'

Gan ganolbwyntio ar ei diod boeth, atebodd Nelw yn araf, 'Ia, ro'n i'n hoff iawn o Auntie Dora ac Uncle Declan. Mewn rhan arall o Lerpwl efo nhw a'r ddau fab y ces i fy magu . . . Roedden nhw mor ffeind wrtha i. Pan es i i ddysgu gwnïo cefais ddefnyddio un o'r ystafelloedd eang yn y tŷ ar gyfer 'y ngwaith. Roedd yno fwrdd mawr i osod a thorri'r defnyddia arno a silffoedd llydan i gadw'r rholia o ddefnyddia a llyfra. A chypyrdda bach, handi i storio petha fel eda, siswrn, pinna a manion eraill hanfodol i waith gwnïo teidi. O, ro'n i wrth fy modd yno. Athro mewn ysgol breifat oedd Uncle Declan, Llew. Mi fyddwn i'n mynd at fy rhieni am wylia weithia – ond ddim yn amal. Rydw i'n deall pam erbyn hyn. Ar ôl i 'Nhad farw y daeth Mam â fi draw yma, yntê, Nain?'

'Ie. Dyne ti, Nelw fach, ac mor falch oeddwn i o'ch

gweld chi. Ychydig wyddwn i ar y pryd mai dyna bron y tro ola y byddwn i'n gweld Sali, druan fach.'

'Pam felly, Poli John?'

'Wel, roedd Nelw ar y pryd yn yr ysgol. Gwaelodd Sali ar ôl colli Ryan . . . Mynd i lawr yr allt oedd hi'n feunyddiol, medde Declan. Es i'r cynhebrwng, wrth gwrs, yna gwneud yn siŵr efo Declan y byddai Nelw yn ddiogel efo fo a Dora a'r hogie a gadael popeth yn nwylo Declan.'

'Mmm. Dydw i'n cofio dim am hyn'na. Efo Auntie Dora ac Uncle Declan oedd 'nghartra i.'

Roeddwn i'n llawn syndod. 'Wyddost ti, Nelw, petaech chi eich dwy, dy fam a thitha, heb ddod yma y diwrnod hwnnw fydda ein hanes ni ein dau ddim yn bod.'

'O,' meddai hi yn syth, 'ond mi fasen ni wedi cyfarfod ar ôl capel y dydd Sul hwnnw a mynd am dro.' Chwarddais. Roedd hi yn llygad ei lle. Fel llongwr profiadol coleddwn y syniad mai, uwchlaw pawb a phopeth, llaw Rhagluniaeth oedd bob amser wrth y llyw.

Gwelais fod Poli yn amharod i barhau efo'r hanes. Roedd ei llygaid glas yn betrusgar, ond dyna hi'n ailgydio a mynd ymlaen.

'Dyma'r hanes yn union fel y cefais y stori o enau Jac ar yr Ynys y pnawn braf hwnnw. Mae'r hanes yn anghyffredin, ond roedd Jac am i mi wybod popeth ac yr oedd wrth ei fodd yn adrodd stori gan actio'r digwyddiade wrth fynd ymlaen. Brodor o Affrica oedd o.'

Closiodd Nelw ataf i 'nghesail.

'Mi gefes fy ngeni, medde Jac, yn Ffwwta Jalw, gwlad rhwng Afon Cwora ac Afon Sierra Leone.' Tynnodd Poli lun ar lechen wrth adrodd y stori. 'Mae dwy afon yn llifo i mewn i Afon Sierra Leone, Nelw, fel hyn – Afon Rocel ac Afon Porto Logo. Wrth fynd mewn cwch i fyny Afon Rocel rwyt ti'n dod i'r rhan honno o'r wlad sy'n agos at darddiad Afon Cwora a Mynydd Loma.

Wel rŵan, ar ochor ogleddol Mynydd Loma, rhyw gan milltir o'r môr y mae pedwar llwyth yn byw – y Ffwwta, y Sewacwli, y Bambara a'r Mandingo. A dyne Jac yn tynnu llun map i mi ar y tywod i ddangos. Llwyth y Ffwwta oedd ein llwyth ni, medde Jac, llwyth amaethyddol, heddychlon ac enw'r dref fach lle roedden ni'n byw, medde Jac, oedd Sibidilŵ. Y brif dref oedd Timbo lle'r oedd eu Brenin yn byw. Aacw oedd iaith y llwyth. Roedd gan bob llwyth ei iaith ei hun . . . Poen bywyd i bawb oedd llwyth rhyfelgar, cryf y Mandingo. Roedd ar bawb eu hofn, achos fe wydde pawb am awch Brenin y Mandingo am gyfoeth. Roedd yn derbyn gwobre gan y dyn gwyn, yr African Traders, am ddal bechgyn a merched o lwythau eraill a'u gwerthu nhw fel caethweision . . . Ydech chi am i mi ddal ati?' gofynnodd Nain.

Gafaelodd Nelw yn fy llaw, 'Ydan.'

'Un diwrnod, medde Jac, daeth neges ar y drymie o Timbo. Dechreuodd Jac gogio chware drymie efo cerrig ar y graig. Saith oed o'wn i, medde fo. Roeddwn i'n deall y neges. Dyma'r neges o Timbo – Mae'r Mandingo am ymosod ar Sibidilŵ. Ffyrnigodd ei wyneb a fflachiodd ei lyged du yn fileinig. Ymosod yn y nos. Dal pawb ifanc. Eu hanfon am filltiroedd i'r iarde mawr, i'r baracŵns. Cadwyni haearn am draed a gyddfe, ac i mewn i'r llong, medde Jac gan ddyrnodio'r graig.'

Roedd dagrau ar ruddiau Nelw ac roeddwn yn pryderu drosti.

'Mae'r hanes yn boenus iawn, Nain,' meddwn i.

'Roedd Jac yn hollol saff, Nelw fach,' cysurodd ei nain. 'Diolch i Dduw am hynny. Doedd o ddim efo'r lleill. A rŵan beth am i ni'n tri gael tamed o swper? Mae'r hanes yn mynd yn hapusach ond mi gawn dipyn o gynhalieth yn gyntaf . . . '

Aeth Poli ymlaen wedyn efo'r hanes.

'Roedd Ellis Montague Wynn yn ŵr ifanc, anturus, eofn ac wedi cael swydd fel *ship's doctor* ar un o longe'r caethweision. Un o'i orchwylion oedd mynd i gyfarfod â phenaethiaid y llwythau a pharatoi'r ffordd yn unig, i rywun arall daro bargen â nhw. Marchnata caethweision am ddefnyddie, baco a gwirod – dyna'r fargen.

Roedd hynny'n golygu byw yn eu mysg a dysgu'r iaith. Fel yna y daeth Ellis Montague i Sibidilŵ. Roedden nhw'n garedig wrtho, 'ddyliwn i, mor garedig nes iddo fynd ei hun i daro bargen, â'i drwyn ar fusnes, efo penaethiaid y llwythau eraill yn Ffwwta Jalw a'u perswadio i beidio ag ymosod ar lwyth y Ffwwta, llwyth Jac.

Addawodd y llwythau. Yr oedd hyn wedi gweithio'n dda am flynyddoedd gan mai'r Ffwwta oedd yn gyfrifol am gynhyrchu bwyd. Dychmygwch felly y braw gawson nhw pan gyhoeddodd y drymie fod y Mandingo am ymosod ar Sibidilŵ! Pawb wedi dychryn, medde Jac, ac am redeg i rywle – rhywle oddi yno.

Siarsiwyd y *ship's doctor*, Mistar Ellis Montague, i gymryd gofal o Jac ac i ddianc gynted ag y gallen nhw. Ar orchmynion y Brenin aeth swyddogion â'r ddau i lawr yr afon am ddyddie a'u rhoi ar dir sych ychydig filltiroedd o'r cwt bach wrth yr iardie lle byddai Ellis Montague Wynn fel arfer yn llochesu nes byddai'n rhaid symud y caethweision o'r iardie i'r llong.'

'Oedd Taid yn drist?' holodd Nelw.

'Oedd, ond roedd o'n saff efo Mistar Ellis Montague. Mi fydde Jac yn sôn am y daith honno – y tro olaf iddo weld ei famwlad. Y coed uchel dros ganllath o uchdwr a'u dail gwyrdd, anferthol a'u gwreiddie yn ffurfio ogofâu yn y dŵr. Y tyfiant trwchus o'u cwmpas a'r canghenne fel rhaffe hirion yn hongian o'r canghenne mawr, yr adar lliwgar rhyfeddol a'r blode llachar. Mi fydde'n sôn am y pentre olaf welodd o a'r farchnad mewn lle gwag yn y goedwig, rhyw dri chwarter milltir o gylch, ond roedd o'n hapus i fod yng nghwmni Mistar Ellis Montague.'

'Rydw i'n synnu ei fod o'n cofio mor glir,' meddwn i.

'Roedd o'n sylwi ar bopeth fel mae bechgyn yr oed yna,' meddai Poli, 'pan mae eu teimlade mor fyw. Soniodd am un ochor i'r farchnad lle teflid cyrff a aberthwyd i'r duwie, llecyn sanctaidd i'r brodorion. Yn y farchnad ei hun roedden nhw'n gwerthu pethe fel defnyddie, sidan a phali, rolie o faco, cacenne mawr o bowdwr gwyn i baentio eu cyrff, cetynne cain, iams, plantên, bananas, cnau, cig mwnci a chig eliffant a physgod.'

'W, Nain! Cymrwch eich gwynt. Sut ydach chi'n medru cofio yr holl betha yna?'

'Wel,' chwarddodd Nain, 'mi fydde Jac wrth ei fodd yn rasio drwy'i bethe er mwyn gweld y stumie roeddwn i'n eu gwneud wrth wrando!'

'Chafodd Jac mo'i anfon i'r baracŵn?'

'Naddo wir, Llew. Diolch am hynny. Am ei fod yn was i Ellis Montague Wynn chafodd Jac mo'i drin fel y lleill, y trueinied bach! Doedd wiw i neb godi bys yn erbyn y *ship's doctor* na'i eiddo. Wedi'r cwbl, ganddo fo roedd y meddyginiaethe a'r gallu i wella'r capten a'r llongwyr petai unrhyw salwch yn eu taro. Roedd ganddo bŵer drostyn nhw a'r criw i gyd o'i blaid.'

'Er hynny, roedd Jac mewn lle anodd iawn,' nodais.

'Oedd, 'ngwas bach i,' meddai Poli. 'Mi welodd lawer o ddiodde a'i deimlo. Pobol ei lwyth ef ei hun, perthnase a ffrindie, oedd rhai o'r caethweision gafodd eu carcharu o dan y dec. Nid am ddiwrnod chwaith, ond am wythnose wrth groesi'r môr i'r Gorllewin pell, gadael rhai yno, taflu'r meirwon i'r môr, danfon eraill i Loeger.'

Ochneidiais wrth gofio fy mordaith gyntaf. Roeddwn wedi cael digon ar wrando. Ceisiais newid y pwnc. 'Yn lwcus iawn i Jac, cafodd gartra da yn Ystumllyn,' meddwn.

'Yn naw oed pan gyrhaeddodd? Do a naddo. Roedd o'n bell oddi wrth ei bobol a'i gynefin ac nid o'i ddewis o'i hun. Fi fu'n lwcus,' meddai Poli, 'cael ei nabod o. Fo oedd coron fy mywyd i.'

XVIII: Richard a Jo

Chwarae teg i Poli, gwnaeth ymdrech deg i drosglwyddo'r hanes i Nelw. Ofnwn ei fod wedi bod yn ormod iddi. Ond cyn iddi gael ei gwynt ati daeth curo mawr ar y drws a bloeddiadau, 'Helô! Helô! Mam! Helô Nain fach! Oes yma bobol?' Rhuthrodd dau ddyn i mewn fel corwynt yn wên o glust i glust.

Cododd Poli ar ei thraed yn llawen a'u cyfarch yn serchog. 'Dyma Nelw, merch Sali, hogie, a Llew Morgan, ei ffrind hi, a dyma Richard, fy mab, sy'n gipar i'r Arglwydd Newboro, a dyma Jo, fy ŵyr prysur, direidus, sy ar ei wylie o Lunden,' meddai hi gan droi atom i gyd yn llawn hwyl.

Roedd Richard yn dyst i'w dad, yn groen tywyll, dalsyth ac er yn ganol oed, yn fywiog, siriol a chadarn ei wedd fel y dychmygais i Jac Ystumllyn. Jo yn oleuach ei groen ond yn debyg iawn i'w dad o ran corff ac osgo, a chroeso'r ddau a'u chwilfrydedd tuag at Nelw a finnau yn ddiffuant a busneslyd ar yr un pryd. Ar ôl clywed mai llongwr oeddwn i dyma ddechrau holi am longau a gwledydd tramor a chargo a marsiandïaeth a pholisïau'r llywodraeth a'i hagwedd at farchnata. Byr oedd f'atebion am fy mod ar binnau ynglŷn â Nelw. Mor ddistaw oedd hi.

Ond wedyn dyma doreth o gwestiynau pan ddeallon nhw 'mod i wedi bod yn Ystumllyn. Oeddwn i wedi gweld y tŷ bach cyntaf, cartref ei rieni? Bedd Taid ym mynwent

Eglwys Ynyscynhaiarn? Llwybr y gors? Y Llyn? Castell Cricieth? Moel y Gest? Fues i heibio'r felin a Charreg Felen i Benmorfa? Ar hyd Sarn yr Ynys? Ar hyd traeth Nheraig i'r Greigddu? Doedd dim taw arnynt a finnau yn methu cael fy mhig i mewn. Oeddwn i wedi bod yn y parlwr bach lle byddai Jac ac Ellis Montague yn chwarae codi ysbrydion? Heibio'r goeden wrth y tŷ lle cuddiodd Jac am oriau pan oedd o'n fachgen? Oedd ei fam wedi dweud stori'r sipsiwn wrthym ni? Oedden ni'n gwybod bod Taid yn perthyn i frenin llwyth y Ffwwta? Oedden i'n gwybod . . . ?'

'Bobol bach, hogie. Dyna ddigon! Mae'r amser hynny drosodd. Amser Nelw a Llew ydi hi rŵan a mae arna i ofn fod Nelw wedi blino. Mae'r diwrnod wedi bod yn hir iddi. Dowch eto ryw ddiwrnod arall.'

'Iawn. Falch o'ch gweld chi, Nelw a Llew. Rydan ni'n aros yn y pentra heno, Mam. Dof draw yfory. Tan tro nesa!'

Ysgwyd llaw a diflannu.

'Ydw i mewn breuddwyd?' sibrydodd Nelw. 'Mi rydw i'n teimlo felly.'

'Wedi blino wyt ti, cariad. Mae popeth yn iawn. Mae'n well iti fynd i dy wely, a gorffwyso. Rwyt ti wedi cael diwrnod hir a chyffrous, Wylan fach.'

''N munud, Llew,' atebodd a rhoi ei phen ar fy ysgwydd. Ymhen dim roedd Nelw'n cysgu'n drwm. Codais hi yn fy mreichiau a'i chludo i'w llofft, a'i rhoi, fel yr oedd hi, yn gysurus yn ei gwely.

XIX: Ar goll

Wrth gerdded i'm llety y noson honno meddwl am Nelw oeddwn i. Yna trodd fy meddyliau at allu ei nain, yn cofio'r manylion lleiaf am fywyd ei gŵr, a'i chael hi'n anodd credu darnau o'r stori. Nid bod Poli yn dweud celwydd oherwydd hawdd gweld ei bod hi'n credu mai'r gwir a dim ond y gwir a lefarai. Tybiwn ei bod wedi clywed y stori droeon gan Jac ac efallai gan Ellis Montague Wynn hefyd.

A oedd y straeon yn magu cynffonnau fel hanes Dewi Sant a'r seintiau cynnar ac amryw o hanesion yr Hen Destament? Ac erbyn ystyried, fel ein storïau ni, y morwyr – rydym ni'n palu ymlaen yn aml am ein profiadau ar y môr. Beth yw gwirionedd?

Yr oedd Nain yn llygad ei lle ynghylch sut y daliwyd y caethweision a'r driniaeth echrydus y maent yn ei dioddef, hyd heddiw. Onid ydw i wedi gweld prawf o hyn â'm llygaid fy hun yn Port Elizabeth a Kingston a dociau Lerpwl? Gweld y llongau'n dadlwytho a dynion a merched a phlant, bron yn noeth, rhai yn sgerbydau drewllyd, rhai'n dioddef o haint a salwch dirdynnol, yn baglu mewn cadwyni? Dyna beth yw'r gwirionedd!

Pam bod yr arfer o farchnata caethweision yn dal mewn grym heddiw er gwaethaf pob ymdrech? Ers blynyddoedd, roedd pobl yn sylweddoli mor gywilyddus oedd caethwasiaeth ac onid oedd penderfyniadau rhai fel Granville Sharp, Josiah Wedgwood, y Crynwr

Samuel Hoare a Thomas Clarkson wedi dylanwadu ar y gymdeithas honno? Onid oedd gwaith The Society for Effecting the Abolition of the Slave Trade yn wybyddus, yn enwedig eu gwaith yn ysgrifennu pamffledi a threfnu sawl petisiwn? Oni wnaeth miloedd o bobl eu harwyddo, a'r cannoedd ar gannoedd o gyfarfodydd cyhoeddus a drefnwyd a'r posteri niferus a brintiwyd, oni wnaethant ddylanwadu ar gymdeithas? Er i Wilberforce lwyddo i symud Parliament i ddeddfu, wedi sawl cais, yn erbyn caethwasiaeth llynedd gyda chefnogaeth ein Prif Weinidog Grenville, mae caethweision yn dal i ddioddef. Mor ynfyd! Oes gobaith ei atal drwy'r byd rywbryd?

A beth amdanaf fi, Llew Morgan? Diolch 'mod i wedi cael gras i newid tac a pheidio ag ymuno bellach yn y busnes. Bydd yn rhaid i mi ddal ati i brotestio hyd eithaf fy ngallu.

Wrth neidio i fy ngwely meddyliais am ran Ellis Montague yn y ddrama. Gwyddwn o'r gorau sut gymeriadau oedd criwiau'r llongau hynny ac nid oedd y *ship's physician* yn ddim amgenach. Ellis Montague yn cael siars i gymryd gofal o Jac – tybed? Ydw i'n dechra mynd yn ddrwgdybus heb reswm? Ai felly y digwyddodd hi mewn gwirionedd?

Deuai aroglau'r heli yn gryf ataf drwy ffenestr agored fy llofft wrth i mi syrthio i gysgu, yn gymysg â rhyw frisyn bach anniddig o'r gogledd. A 'mhen ar y gobennydd . . . meddyliais am Nelw.

Deffrois i sŵn curo drws a lleisiau'n gweiddi. Codais at y ffenestr. Richard a Jo oedd yno. 'Llew, tyrd ar d'union. Mae Nelw ar goll!' O Dduw! Rhedeg am y traeth oedd fy ymateb cyntaf. Daeth rhywun â lampau. Galw'i henw. Pobl y pentref allan yn galw. Jo fel rhywun gwyllt ar y tywod. Neb i'w weld. Diolch bod gennyf lygaid craff. Gwelwn hi yn y pellter. Ar fin y tonnau.

'Dacw hi,' gwaeddais. Ymhell bell ar y tywod gwlyb a'r môr yn golchi drosti, daethom ati a hithau'n sypyn bach, diymadferth.

'Mae hi'n fyw,' meddai Richard gan ei harchwilio fel meddyg profiadol. 'Ond cael a chael fydd hi. Ei ch'nesu a'i dadebru . . . efo tipyn o lwc . . . '

Tynnodd Jo fflasg o'i boced, 'Llwnc o frandi iddi,' gan amneidio arnaf i'w roi i Nelw. Roedd hi'n dechrau criwtio. Rhois y flanced oedd gen i ar fy ngwely amdani. Nelw! Nelw! O Dduw, trugarha! Hanner ffordd ar draws y traeth cymerodd Richard Nelw oddi arnaf gan ffatian nerth ei draed nes cyrraedd Caecregyn. Eisoes daethai Siani, cyfeilles Poli John, draw ar ei hald i gadw cwmpeini iddi, i ailgynnau tân y gegin a chynnau tân yn y parlwr.

Mawr oedd rhyddhad y ddwy – Poli yn ei dagrau – pan gyraeddasom ni. Yna tra aeth Richard a Jo a finnau i'r parlwr, aeth Poli a Siani ati i dynnu dillad gwlyb Nelw oddi amdani a'i gwisgo â gŵn nos gynnes a blancedi.

Es ati. 'Sut wyt ti, 'nghariad i?' Roedd ei llygaid yn ofnus.

'Yn well, Llew. Dwi'n c'nesu.' Rhwbiais ei dwylo a'i thraed. Ni holais ragor gan adael i Poli a Siani ei hymgeleddu, y ddwy fam mor gariadus eu gofal.

Ymhen oriau cludais hi i'w gwely gan addo dod yno drannoeth yn gynnar.

Cyn codi cŵn Caer cerddwn y llwybr drannoeth i Gaecregyn. Roedd hi'n smwcan bwrw ac yn darogan rhyw ddiwrnod digon wigil. Roeddwn ar binnau ynglŷn â Nelw, ond cefais adroddiad cymeradwy ar ei chyflwr gan Poli a Siani wrth iddyn nhw baratoi brecwast i mi – brecwast campus o gig moch, dau wy, bara wedi'i dostio o flaen y tân â haen o fenyn ffres a mêl arno a dwy gwpaned o de, brecwast i'r brenin a fwynheais yn fawr. Roedd Nelw wedi gwella yn ystod y nos, meddent, ac yn wellwell erbyn bore heddiw.

Yn fodlon iawn es i'r llofft at fy nghariad ar flaena 'nhraed.

'Nelw?'

'Ti sy 'na, Llew?' meddai â rhyw oerni yn ei llais.

'Ia. Wyt ti'n teimlo'n well?' Estynnais fy llaw iddi.

Gwthiodd fy llaw o'r ffordd. 'O, dwi'n iawn.'

Eisteddais wrth ymyl y gwely. 'Fedri di ddweud wrtha i be ddigwyddodd ddoe?'

'Medra. Es am dro i lan y môr i feddwl. Dyma fi'n ista ar y graig. Dyma don fawr yn dŵad a'm sgubo fi i'r dŵr. Dydw i ddim yn gallu nofio ac felly ro'n i ar drugaredd y môr. Doedd ddim ots gan hwnnw be oedd yn digwydd i mi a dim llawer o ots gen inna chwaith. Dyna'r cwbl.'

'Roeddan ni yno o fewn eiliada i d'achub di, Nelw, 'nghariad i, diolch i Dduw. Pam est ti i lan y môr i feddwl?'

'I benderfynu a ddylwn i dy briodi di ai peidio.'

'Be . . . be ddwedaist ti?'

'Dy briodi di ai peidio.'

'Nelw, be haru ti? Does 'na ddim cwestiwn . . . '

'Oes.' Cododd ar ei heistedd. 'Mae yna gwestiwn, Llew. Un pwysig hefyd. Mi rydw i yn fy iawn bwyll a mi faswn i'n ddiolchgar petait ti'n mynd yn ôl i'r môr a f'anghofio i.'

Roeddwn i'n fud . . . stwmp ar fy stumog . . . rhyw ysictod yn f 'ymysgaroedd . . .

'Dos o'ma, Llew. Dos rŵan.'

Ni allwn rwystro'r dagrau yn fy llygaid. Ufuddheais

gan faglu i lawr y grisiau i'r gegin . . . Doedd gan Poli na Siani ddim i'w ddweud ond gwelais nhw yn edrych ar ei gilydd.

Yna, 'Ty'd yma, 'ngwas i,' dirgymhellodd Siani fi. 'Ty'd i ista wrth y tân am dipyn. Mi ddaw haul ar fryn, wsti, toc.'

Yn y prynhawn, wedi sobri peth, dyma fynd i fyny i'r llofft eto. 'Nelw?'

'Ia?'

'Os ydw i wedi dy frifo di, deud wrtha i. Fedra i ddim mynd i'r môr a d'anghofio di.'

'Dwyt ti ddim wedi fy mrifo fi, Llew. Ond gwranda! Rŵan dy fod ti'n gwybod pwy ydw i, pwy oedd fy nhaid a'm mam, ac wedi cyfarfod rhai o 'nheulu i, alla i ddim dy briodi di. Mae dy deulu di a 'nheulu i mor wahanol. Rwyt ti'n gapten llong. Mae dy deulu di a'th ffrindia di yn dy barchu di. Mae dy deulu di yn meddwl yn fawr ohonot ti ac yn gefn i ti. Dydi hyn'na ddim gen i.'

'Yli di, Nelw O'Shea, pan welson ni ti yn y pellter a rhedeg atat ti, finna'n sâl o feddwl beth oedd wedi digwydd, mi redodd Jo heibio fi fel melltan i dy godi di o'r dŵr, a dyma Richard yn gweld mai cael a chael oedd hi a 'mod i'n torri 'nghalon wrth dy gario di, a be wnaeth Richard ond dy gymryd di oddi arna i a sbedan adra ar draws y traeth y rhan hwya o'r ffordd. Hebddyn nhw ... O Nelw, maen nhw'n dy drysori di. Mae gen ti deulu gwerthfawr, arbennig iawn.'

Roedd Nelw'n gwrando ... 'Diolch am ddweud hyn'na wrtha i,' meddai'n ddifri. Ond meddai wedyn yn benderfynol, 'Alla i ddim dy briodi di, Llew. Mae pobol yn gallu bod yn ddilornus. Mae pobol yn gweld y gwahaniaeth. Dydyn nhw ddim yn fyr o watwar a gweithredu'n annymunol.'

'Ond . . . '

'A dydw i ddim isio rhoi genedigaeth . . . '

'O, dyna sy'n dy . . . '

'I blentyn bach fydda'n gyff gwawd a phobol yn chwerthin am ei ben ac yn galw pob math o enwa arno fo.'

'Beth am gariad? Beth am ddaioni a thrugaredd?'

'Holl ddyddiau fy mywyd – ia? Gamp i hynny ddigwydd i mi – ac i blentyn bach yn yr ysgol. Mae plant ysgol yn gallu bod yn greulon iawn. A mae pobol yn siarad.'

Teimlwn yn drist wrth wrando arni.

'Be fasa dy Nain yn 'i ddweud?'

'Nid mater i Nain ydi hwn. Na. Mi rydw i wedi penderfynu. Dydw i ddim am dy briodi di, Llew Morgan. Mae'n well i ti fynd yn ôl i'r môr.'

'Dwi'n gweld be sy'n dy gorddi di. Dwi'n deall. Ia. Beth ddigwydda i ti ac i'n plant ni? Mm . . . Wel, mi rydan ni'n dau yn yr un cwch felly achos os ydi o rywfaint o ddiddordeb i ti, mae gen inna broblem hefyd. Mi fydd efo fi am oes pys.'

'O,' meddai â'i llygaid yn cronni dagrau.

'Ia – un fydd efo fi am byth.'

'O Lle . . . ew,' ochneidiodd rhwng ei dagrau, 'be sy?'

'Mi ddweda i wrthat ti. Fy mhroblem i ydi hyn . . . Mi rydw i'n dy garu di, Nelw, achos fedra i ddim peidio. Mi rydw i'n ffond iawn o Poli, Richard a Jo a phob un o'r teulu nad wyf eto wedi eu cyfarfod, rydw i'n eithaf siŵr. A dyma i ti wirionedd arall . . . pe bawn i ddim yn mynd o'ma, er nad oes dim pwrpas dweud hynny bellach, mi fyddwn i wrth fy modd yn dy helpu di i fagu llond tŷ o blant waeth be fyddai'u lliw nhw. Ond dyna ti wedi rhoi dy ateb. Dyna ben arni felly – mae hynny'n sicr. Wna i ddim dy boeni di eto. Weli di mo'no i ar ôl heddiw. Ddo i ddim yn ôl.' Trois fy nghefn a mynd at y drws. 'Achos mae hi'n hollol glir i mi oddi wrth be ddwedaist ti nad ydw i'n ddigon da i ti. Pob lwc i ti.' Agorais y drws.

'Na, na, Llew, fi sy ddim digon da i ti, Llew. Llew! Paid â mynd, Llew . . . Fedra i ddim byw hebot ti, Llew . . . Llew . . . '

Bron i mi golli fy limpin. 'Y nefoedd a'n gwaredo!' gwaeddais dros y tŷ. 'Mae hi'n hen bryd rhoi'r gora i'r rwtsh rwdlan siarad cawl potas maip DIAWL 'ma . . . '

A dyma Nelw yn dechrau chwerthin. Byrlymu chwerthin. 'Ww! Rwtsh rwdlan . . . po . . . potas maip diawl . . . hw-hw-ww,' chwarddodd.

'Ar f'enaid i!' Trois ati.

Roedd ei hymateb yn heintus a dechreuais innau chwerthin yn afreolus. A dyna lle'r oedden ni ein dau yn glana chwerthin – yn analluog i wneud dim ond chwerthin nes chwilfriwio i ebargofiant y munudau uffernol fu rhyngom ni.

'O Llew . . . '

'Nelw . . . '

'Yn tydw i wedi bod yn ffŵl?'

'Yn homar o ffŵl fel finna. Ty'd yma.'

'Mi gei di ginio sbesial fory i dalu iawn i ti am fy nryswch i . . . cinio sbesial iawn, ia, sbesial iawn hefyd . . . llond powlen o botas-maip-diawl.' A dyna hi'n siglo chwerthin eto.

'Wel y coblyn bach! Mi dalaf yn ôl i ti am hyn'na rywbryd eto . . . aros di!'

O ganlyniad i ofal tyner Nain, Richard a finnau daeth Nelw i'r lan yn dow-dow. Caban bychan cynnes a chlyd yn nho'r bwthyn oedd ei hystafell wely. Edrychai fel cyw bach mewn nyth. Doedd fawr o le i droi yno ac felly yr oedd bod yn agos at ein gilydd yn anochel ond yn ddymunol iawn.

Y prynhawn canlynol es â'r pecyn 'llanast nad ydi o'n dda i neb', chwedl Lusa Joseff, i'r llofft i ddangos ei gynnwys iddi hi a Nain. O ganlyniad, enynnodd ddidd-ordeb dwfn y ddwy, drwy fod gan Nain stori i'n difyrru wrth iddi syllu'n fanwl ar bob eitem oedd ynddo. Sylwais ar lygaid duon, siriol Nelw a bod ganddi'r ddawn i ddeall ac edmygu bellach yr holl hanes.

'Weli di hon, Nelw? Dyma'r wyntyll oedd gen i pan oeddwn i'n dawnsio yn neithior Jac a finne yn Nolgelle. O, a dyma i ti'r cregyn fuon ni'n eu casglu ar draeth Nheraig. Dyma'r blode gasglodd Jac a Mistres Mag wrth Pwll Glöynlas a benthyg hen lyfre Lladin ei brawd i'w rhoi ar gael a chadw. O, darn o frodwaith Mistres Mag! Dynes addfwyn oedd hi. O, a darn o ddefnydd gwisg briodas a rubane Mrs. Rebecca . . . A dyma lunie Jac . . . '

Gwnaeth y 'llanast' i ni dreulio oriau yn siarad a gwirioni dros y gwahanol eitemau.

Daeth sŵn curo ar y drws cefn. 'Mae 'na rywun yn galw, Nain,' meddai Nelw.

'O, rhywun o'r pentre i holi amdanon ni, mae'n debyg,' atebodd Nain. 'Maen nhw mor garedig. Ddo i â neb i fyny yma. Cadw'n dawel a diddos ydi'r peth gore i ti ei wneud.'

'A mi wna i warchod, Nain,' meddwn. Gwelais hi'n gwenu wrth ymadael.

'Llew,' meddai Nelw â thôn anhapus yn ei llais, 'roedd yna lot o farwolaetha yn nheulu Wynniaid Ystumllyn.'

'Yn y dyddiaduron a'r llythyra?'

'Mm . . . '

'Oedd, rwyt ti'n iawn. Lot o dristwch ond roedd llawenydd hefyd, cofia.'

'Llew,' fymryn yn fwy calonnog, 'oes gen ti fwy o hanes y wylan honno a safodd ar y dec?'

'O, oes. Mi fydda hi'n dod bob dydd, wyddost ti, ond doeddwn i ddim yn 'i gweld hi. Doedd hi ddim yn ymddangos yn y plu, fel petai, ond mi wyddwn i ei bod hi yno, yn agos ata i, yn agos iawn ar brydia, fath â rŵan.'

'O . . . yn y dydd oedd hi o gwmpas?'

'Ia, ac yn y nos hefyd.'

'Mae'n siŵr ei bod hi'n teimlo'n unig weithia.'

'Na, doedd hi ddim yn unig. Wrth i ni fynd am Antarctica ganol haf yno, amser y Nadolig yng Nghymru, roedd yr aderyn mawr, yr albatros eofn, anferthol, yn ei gwylio a'i gwarchod i mi. O holl greaduriaid y byd yn gyfan, fo ydi'r mwyaf ysblennydd, y gwychaf ohonyn nhw i gyd. Mae o'n gryf ac yn un da am edrych ar ôl ei gymar a'i gywion. Uwch fy mhen i, dwi'n cofio'n iawn, roeddwn i'n methu â thynnu fy llygaid oddi ar ei adenydd gwynion o, anhygoel o faint. Wrth gwrs, fi oedd yn cymell yr albatros i gadw golwg a gofalu amdani hi.'

'Diolch, cariad. Rwyt ti fel a . . . '

'Ia, Wylan fach?'

Dim ateb. Roedd Nelw yn cysgu.

XX: Y Romani

Bore drannoeth dyma Nelw a finnau yn penderfynu dweud wrth Nain ein bod ni'n bwriadu priodi. Roedd Nain wrth ei bodd.

'Wel, ardderchog!' meddai. 'Tyrd yma i mi gael rhoi sws i ti, Nelw fach.' Ac fe'm cofleidiodd innau. 'Llongyfarchiade i chi'ch dau. Mae gen i botel o win cartre ar y silff uchel yn y gegin gefn. Fedrwch chi 'i hestyn i ni, Llew?'

Cawsom fore hapus iawn yn dathlu.

'Beth ydi stori'r sipsi, Nain? Y stori oedd Richard yn sôn amdani pan ddaeth y ddau draw y noson gynta?'

'O, darn o stori ydi hi. Dydi stori'r sipsi ddim yn gyflawn heb stori arall. Ond hanes fydda i'n ei ddweud, wyddost ti, nid stori.'

'Stori wir ydi hanes.'

'Ia, dyna fo. Stori wir fydda i'n 'i dweud.'

Chwerthin ddaru ni a gwneud ein hunain yn gyfforddus.

'Wel,' dechreuodd Nain unwaith eto, 'fel hyn y bu hi. Roedd y gweision wedi bod yn torri cyrs yn y Gors Wen drwy'r dydd a'u llwytho a'u danfon i'r gwehyddion yn ffair Penmorfa, a Jac yn un ohonyn nhw. A dyme ofyn i Mistar gaen ni fynd i'r ffair ar ôl te. Doedden ni ddim wedi priodi adeg hynny. A dyne ni'n cael mynd – criw ohonon ni o Stumllyn a mi gawson ni amser da. Ar y ffordd adre, wrth ddod i gyffinie Hendregadredd lle mae yne goeden gelyn fawr a chysgod clawdd uchel, dyne lle'r oedd y teulu o sipsiwn yn gylch o gwmpas tân coch efo'u cŵn. Fanne fydden nhw'n parcio'r garafán, fel arfer, achos mae byw wrth goeden gelyn yn dod â lwc dda bob amser. Mae pawb yn gwybod hynny.

'Poli, tyrd i ni gael gair efo'r Romani,' sibrydodd Jac.

Roedd hi'n anodd gweld yn y llwydole a'r mwg yn cosi'n trwyne ni. Ond yn y cysgodion mi welwn hen sipsi yn trin rhywbeth mewn crochan a dau ne dri ar eu cwrcwd, un arall yn chware ffidil yn ddistaw bach . . .

Mi gyfarchodd yr hen wraig oedd yn trin y crochan ni'n gwrtais, a dyme ni'n eiste efo nhw a hymian yn dawel efo'r miwsig. Mi ddeliais yr hen sipsi yn edrych yn graff ar Jac. Hen, hen wraig oedd hi a chroen ei hwyneb yn dywyll, rhychog fel hen afal. Roedd hi'n syllu a syllu arno. Gafaelodd Jac yn fy llaw. Ac yn sydyn dyma fi'n teimlo llyged yr hen wraig arnaf fi. Yn rhythu arna i a finne ofn edrych arni. Wrth ffarwelio dyma hi'n gwenu arnon ni ac yn troi at Jac a dweud mewn llais dwfn, cras, gostyngedig, 'Iechyd i'th galon di, Raia. Dyma fydd daear dy ddisgynyddion di. *Sar ando cheros*.'

'Beth oedd hi'n feddwl?' gofynnais i Jac cyn i ni ddal y lleill.

'Dweud fy ffortiwn i,' medde ynte a rhoi cloben o gusan i mi.'

'O Nain,' chwarddodd Nelw.

'Wel, dwi o ddifri. Gwranda arna i, Nelw. A chithe, Llew. Roedd y sipsi yn cyfarch Jac fel brenin ac yn rhoi 'i bendith iddo fo. Nid pobol ddwl oedden nhw. Roedd gan y sipsiwn gysylltiade drwy'r gwledydd. Mae'n hollol bosibl iddyn nhw fod wedi clywed am ddiflaniad Jac pan adawodd o Sibidilŵ. Roedd un ffordd arbennig o'i adnabod o, a hynny drwy'r glustdlws fechan yn ei glust dde. Roedd marcie arbennig arni. Heblaw hynny roedd ganddo osgo pendefigedd a phawb yn sylwi ar hynny … Ar ben hynny, credaf ei bod efalle yn cofio fy ngweld i'n pedlera ac yn dawnsio mewn rhyw ffair neu'i gilydd. Wel, beth bynnag, dyna fu. A mi rydech chi'n gwybod am ein priodas ni ar Ebrill y nawfed, 1768, yn Nolgelle. Do, mi gawson ni fendithion lawer, ein dau.'

XXI: Tranc dau

Eglurodd Poli ei bod hi a Jac wedi dychwelyd i'w cartref gerllaw Plasty Ystumllyn ar ôl priodi. Yno y ganwyd ac y magwyd eu plant, wyth ohonynt. I'r plasty y byddai Ellis Montague Wynn a'i wraig, Margaret Moyne Wynn, yn dod yn achlysurol. Yr oedd ganddynt gartref yn Llundain hefyd. Yn fan'no roedd calon Margaret Moyne. Yn ôl Poli, ni fu hi erioed yn or-hoff o Blasty Ystumllyn. Yn Llundain y dymunai hi fyw. Oherwydd hynny deuai Ellis Montague draw yn rheolaidd ar ei ben ei hun.

'Dod i weld Jac oedd o heb amheuaeth,' meddai Poli John. 'Yn ystod un o'r troeon hynny, yn anffodus, mi gafodd Ellis Montague Wynn ryw salwch sydyn na fedre Doctor Isallt, er cymaint yr oedd o'n ei wybod am glefyde, mo'i wella. Credai mai rhyw aflwydd ddaliodd Mistar pan oedd yn byw dramor oedd o, yn ailgodi 'i ben. Galwyd ar Jac i gadw cwmpeini iddo yn aml ac os oedd Jac yn gweithio, yna ar brydie, fi fydde'n mynd ato a cheisio ei gysuro. Ond yn drist iawn dirywio wnâi o bob wythnos, bob dydd. Mi anfonon ni neges at Margaret Moyne a chawsom neges yn ôl efo'r porthmon yn rhoi gwybod i ni bod eu merch fach yn sâl ac na allai hi ei gadael.

Un noson, a ninne'n sylweddoli nad oedd gwella, mi ofynnodd am gael gweld Jac a fi efo'n gilydd. A dyna ni'n mynd, ein dau, ac eiste wrth ochor ei wely o. Roedd ei wyneb yn felyn, ei gorff yn esgyrnog a gwan iawn a'i lais yn gryglyd.

Prin ei fod o'n gallu siarad. Roedd o'n methu ag anadlu ond medde fo yn reit galonnog wrth Jac, 'Helô Raia!'

Gwenodd Jac arno.

'Rydw i am . . . iti . . . gofio . . . mai brenin oedd dy daid . . . yn Si . . . bi . . . di . . . lŵ . . . '

'Ia, mi wn i, Mistar bach,' medde Jac.

'A . . . merch y brenin . . . oedd . . . dy . . . fam.'

'Ia siŵr.'

'*Lovely lady* oedd hi . . . urddasol . . . hynod.'

'Oedd.'

'Dy fam yn dymuno . . . i ti fod efo fi yn saff . . . *safe and sound.*'

'Oedd. Roeddwn i'n saff efo chi, Mistar.'

Rhoddodd Mistar ei law ar law Jac. 'Wedi addo iddi . . . cofia . . . ti ydi . . . fy . . . '

Bu farw Ellis Montague Wynn â'r geirie yna ar 'i ene,' meddai Nain. 'Bu Jac yn mwrnio'n hir ar ei ôl. Dydw i ddim yn credu iddo fyth ddod dros ei golled. Mistar oedd yr unig gadwyn efo'i orffennol yn Sibidilŵ, yr unig un oedd yn siarad ei famiaith, yr unig un oedd yn deall iaith y drymie, yr unig un y bydde'n mynd am gysur ato pan oedd o'n tyfu i fyny, yr unig un i rannu hen sbort 'i dylwyth a'u direidi. Roedd y ddau yn meddwl y byd o'i gilydd.

Roeddwn inne yn ffond iawn ohono. Roedd o wedi derbyn o'r dechre gariad Jac a finne. A chan fod ei fam wedi dod â fo bob blwyddyn pan oedd o'n fachgen ysgol i Eifionydd a Môn a dysgu hanes y teulu iddo a chyfarfod pobol, roedd gan Mistar ryw gynhesrwydd yn ei galon tuag at yr ardal a'i phobol. Roedd o'n nabod sut rai oedden ni. Dyna pam y daeth o â Jac i Ystumllyn pan oedd o'n fachgen naw oed a'i roi o yng ngofal y gymdeithas. Roedd o'n gweld yn bell. Y fo drefnodd i'w deulu, y Montagues, roi carreg ar fedd Jac pan ddeuai'r amser rhag ofn y byddai ef ei hun yn methu. Daeth i wasaneth priodas Jac a fi i Ddolgelle ac i'r neithior a roedd o'n 'i afieth yn cydfwynhau'r difyrrwch wedyn … Teimlem ein dau mor agos ato, bron fel pe baem ni'n rhan o deuluYstumllyn. Roedden ni'n dau ar ein colled.' Ysgydwodd Poli ei phen yn drist. Ni allodd fynd ymlaen am rai munudau.

Yn y man, clywsom ganddi fod Ellis Montague yn ei ewyllys wedi gadael Nanhuran Isaf iddynt ac yno y cartrefodd y ddau i fagu eu teulu. 'Doedd arnon ni ddim eisie ddim mwy. Roedden ni'n hapus i fod efo'n gilydd,' meddai hi, 'ac yr oedd Ellis Montague Wynn yn ddigon doeth i wybod hynny.'

Yr oedd Poli am i ni wybod y cyfan. Dygnodd ymlaen yn wrol. 'Bu Jac farw yn haf 1786. Trefnais iddo gael ei gladdu ym mynwent Ynyscynhaiarn. Fan'no roedd o eisie bod. Yn ardal Ynyscynhaiarn oedden ni hapusaf, pan oedd y plant yn fach. Rhoddodd teulu Ellis Montague Wynn garreg ar ei fedd er bod y dyddiad ar y garreg flwyddyn yn ddiweddarach na'r dyddiad cywir, ond dyna ni, mi wnaethon nhw eu gore.' Eisteddodd yn ôl yn ei chadair gan orffwys ei phen ar y glustog.

Roedd Nain wedi ffagio yn dweud yr hanes, wedi llwyr flino. Wedi'r cwbl, a hithau dros oed yr addewid ac arni'r ofn mawr rhag brifo Nelw a'i cholli am byth, heb sôn am yr ymdrech lew i gofio'r holl fanylion, nid oedd ei blinder yn syndod yn y byd i mi. Ond daliodd yr hen wraig ati. Gwyddwn fod Nelw hefyd yn barod am y gwely ac wedi bod yn ddewr yn gwrando ar straeon ei nain.

'Teimlais mor sobor o unig ar ôl colli Jac a phenderfynais symud efo'r plant o'r ardal i Arfon er mwyn i'r hogie gael gwaith a newid byd. Mi gawson ni ddechre ar fywyd newydd iddyn nhw. Cafodd Jac a fi wyth o blant er i ni golli Robert a Lowri fach. A rŵan mae'n rhaid i chi gael clywed hanes Sali.'

'Ydech chi'n meddwl y byddai'n well gadael hynny tan yfory, Nain?' meddwn. 'Tybed nad ydych chi a Nelw wedi cael digon am heddiw?'

'O'r gore,' meddai'n anfoddog, 'mi arhoswn ni tan yfory.' Cliciodd ei thafod gan ysgwyd ei phen yn araf. 'Roeddwn am i chi wybod hanes Sali cyn clywed stori Jac, os cofiwch chi, ond roedd Ystumllyn fel magnet yn eich tynnu chi ato, 'nd oedd? Lle felly oedd o. Dydw i ddim yn eich beio chi.' Gwenodd yn bruddaidd, flinedig. 'Felly tan bore yfory, ac wedyn mi fydd y dydd yn rhydd i chi wneud fel y mynnwch.'

Ac felly y bu.

XXII: Sali

Gwawriodd y bore a cherddais lincyn loncyn i Gaecregyn. Ychydig wyddwn i beth oedd yn fy aros.

Roedd Nain a Nelw yn y gegin yn cael brecwast ac ymunais â hwy yn dalog. Wedi gorffen bwyta a golchi'r llestri anogodd Nain ni i ddod i eistedd o flaen y tân. Yno cawsom hanes Sali.

Un diwrnod, ar ôl colli Lowri yn faban, merch fach i Jac a Poli, darganfuwyd basged ac ynddi fabi bach wedi ei lapio'n gain mewn carthen fechan, wen a brodwaith o groes a'r enw 'Sali' arni, ar garreg eu drws. Meddyliodd Poli a Jac i ddechrau mai rhywun wrth basio oedd wedi gadael y fasged drom yno am ysbaid ar y ffordd i fynd ar daith fer i rywle pellach, ac y byddai'n galw amdani ar y ffordd adref. Gan ddisgwyl i rywun alw, aethant â'r babi i mewn i gynhesrwydd y tŷ. Ni alwodd neb. Er chwilio a stilio bro a bröydd chlywson nhw ddim gair. Felly magwyd Sali fel un o'r teulu gan y ddau. Tyfodd yn ferch fach hoffus. Cyn iddi hi briodi mi ddywedodd Poli yr hanes wrthi. Fel y dywedasai Poli wrthym eisoes, ymbellhaodd hithau oddi wrth y teulu wrth ymgartrefu ymhell i ffwrdd yn Lerpwl. Ond daliodd Poli a Jac i'w charu â phob ymgais i gadw cysylltiad â hi. 'Fel y gwyddoch,' gorffennodd Nain, 'cafodd Sali a Ryan un ferch, ti, Nelw – oedd yn bopeth iddi hi. Ond ddaru Sali ddim byw yn hir ar ôl colli Ryan.'

Ochneidiodd Poli mor ddwys.

Parlyswyd Nelw a fi. Roedd anferthedd y newyddion hyn mor sobor o annisgwyl. Fel morwr profiadol ers rhai blynyddoedd roeddwn yn gyfarwydd â wynebu realiti, fel ar y noson dywyll honno wrth hwylio i Newfoundland pan sylweddolom fod y llong yn ddiarwybod yng nghysgod clamp o fynydd iâ. Dro arall ar y fordaith i'r Dwyrain Pell roedd chwipiadau sydyn, brathog y corwyntoedd yn ddigon cryf i'n troi ni drosodd mewn mater o eiliadau. A sawl mordaith gyffelyb. Gweithredu sydyn oedd yr unig ateb. Gweithredu yn wrthrychol. Rhoi sylw ar unwaith i'r hwyliau, y llyw, y balast, y cargo, y criw a rhoi gorchmynion addas heb oedi. Gweithredu.

I ganlyn y sioc syfrdanol hon gan Poli rhaid cyfaddef fy mod dan deimlad wrth weld Nelw yn crynu fel deilen. A Poli ei hun wedi cyffesu'r gwirionedd gan ofni yn ei henaid y byddai hyn yn peri iddi golli Nelw am byth? Roedd geiriau yn ddianghenraid. Heb yngan gair, cydio yn nwylo ein gilydd wnaethom ni. Ymgryfhau. Wedyn es i'r gegin i wneud diod boeth i ni'n tri.

Aeth Nelw at ei nain a'i chofleidio. 'Diolch, Nain annwyl. Diolch am ddweud, am ddweud y cwbl wrthon ni. Roedd hi'n anodd i chi, 'nd oedd? Fy nain i, 'chi, ydi'r nain ora'n y byd a chi ydi arwr yr holl hanes, Nain fach.'

'Ia wir,' ategais.

'Arwr? Fi? Nage, nage. Nid fi, nid fi,' atebodd hithau. 'John Ystumllyn ydi arwr yr hanes i gyd o'r dechre un i'r diwedd, os oes diwedd, achos mae rhan o Jac a'i ysbryd yn y plant i gyd,' meddai â bodlonrwydd mawr yn ei llais.

Diolchais innau i Nain yn serchog.

Y prynhawn hwnnw aeth i orffwys ar ei gwely.

Pan aeth Nelw a fi allan am dro y noswaith honno, dyna ni'n sylweddoli'n raddol os mai John Ystumllyn oedd arwr yr hanes, Poli yn bendant oedd cnewyllyn aur ein hanes ni'n dau, Nelw a fi. Heb yn wybod iddi hi ei hun, y hi oedd wedi ein llywio ni tuag at ein gilydd, wedi ein angori ni mewn cariad ac wedi ein tywys ni'n dau i gysgod hafan glyd . . .

Yn anochel, daeth yr amser i ni adael Caecregyn. Er mawr foddhad a llawenydd i ni trefnodd y pentrefwyr a'r tafarnwr caredig, ar sail brwdfrydedd di-feth Poli John a Siani, barti ffarwél cofiadwy i ni yn y dafarn gyda noson lawen a dawnsio i ddilyn. Amser hapus efo cyfeillion da.

Daeth yr awr dyngedfennol i ni ymadael â Chaecregyn. Roedd gan Nain eiriau gwerthfawr i'w dweud wrthym. 'Wel, Llew a Nelw,' meddai Nain, 'ryden ni wedi rhannu llawer o hanes, atgofion a phrofiade mewn amser byr a mi rydw i am ddweud hyn wrthoch chi. Mor prowd ydw i ohonoch chi eich dau. A rydw i'n gobeithio ac yn dymuno â'm holl galon y cewch chi iechyd a hapusrwydd efo'ch gilydd drwy gydol eich bywyd priodasol a chofiwch, bydd croeso yma i chi'ch dau unrhyw bryd. Bendith Duw fo arnoch chi.'

Mawr yw ein diolch iddi.

Gan fod bendith Nain yn aros efo ni, diwrnod hapus iawn oedd diwrnod priodas Nelw a fi ym Môn. Cawsom ein dolennu i'n gilydd am byth.

Yna cychwyn ar y daith gyffrous draw i Eifionydd, galw yn Ynys y Tywyn efo'r newyddion diweddaraf i Siôn a'i wraig, cipolwg ar Blasty Ystumllyn i ddryllio'r delwau yn nychymyg Nelw, mynd i weld Lusa Joseff adref yn ei thŷ ei hun a chael cyfle i sgwrsio'n ddifyr. Wedyn, o'r diwedd, ymlaen ein dau i Gricieth – i'n cartref newydd.

XXIII: Yr Hysbyseb

Rhyw brynhawn un diwrnod o haf hirfelyn yn 1811 galwodd Siôn Sceifiog yn ein cartref yng Nghricieth, er mawr bleser i ni.

Ar ôl paned a mwynhau sglaffyn o deisen sunsur anghymharol Nelw dyma Siôn yn dechrau parablu fel arfer. 'Mae gen i wahoddiad i chi'ch dau i'r dathlu mawreddog yn Nhremadog, sef Yr Hwrê Fawr i'r Morglawdd ar Fedi yr ail ar bymtheg, a hefyd gwahoddiad gan Ann a Tom, fy mab, a finna i chi i aros yn Nhu-Hwnt-i'r-Bwlch i rannu'r ysbleddach efo ni.'

Doedd dim angen ein perswadio. Derbyn yn llawen wnaethon ni. 'Mae gen i bostyr mawr yma i chi efo'r manylion yn hysbysebu'r rhialtwch.' Gymaint oedd llawenydd Nelw a finnau fel yr hoeliwyd y postyr ar ddrws y gegin y munud hwnnw a'i ddarllen.

Trè-Madoc
Embankment Jubilee.

An OX will be roafted upon the Middle of the Embankment
at 12 o'Clock on TUESDAY the 17th of SEPTEMBER, 1811.

The RACES will follow, and continue the 18th and 19th.

An EISTEDDFOD will likewife be held, when a Silver Cup will be given to the beft Welch Poet, and another to the beft Welch Harper.

There will be an Ordinary at the two Inns at four o'Clock on Monday the 16th, and the three following Days.

Alfo Plays, Balls, &c. in the Evening.

'Rhagorol, Sionyn,' meddwn i.

'O, am sbri,' llefodd Nelw.

'Wel rŵan . . . ' meddai Siôn, ac yntau wrth ei fodd ein bod wedi ein plesio gymaint fel yr aileisteddasom ein tri yn gyfforddus yn y parlwr yn wynebu'r môr . . . 'wel rŵan, mi wyddoch fod fy nghlust i'n o agos i'r ddaear ac yn derbyn newyddion o bob cyfeiriad ac mae'n ddrwg gen i ddweud wrthych chi fod Lusa Joseff wedi marw.'

'O, 'rhen Lusa. Heddwch i'w llwch a Duw fo gyda'i henaid,' meddwn gan gofio'r hen wreigan garedig. 'Oni bai am Lusa Joseff faswn i ddim yma heddiw.' Gafaelodd Nelw yn fy llaw a'i gwasgu. 'Mi faswn wedi rhewi'n gorff ar drothwy Plasty Ystumllyn. Hi ymgeleddodd fi a rhoi croeso brenhinol i mi. Bythol ddiolch amdani ac am Seth.'

'O, mi fydda i'n ei cholli,' meddai Nelw. 'Mor hoff oedd hi o alw heibio ambell i bnawn a chael te efo ni ac wrth ei bodd yn mynd dros y noson honno pan gyrhaeddaist ti, Llew, Blasty Ystumllyn.'

'Ia,' meddwn, 'yn cofio popeth mor fanwl.'

'Ia, ond mae yna fwy i'w ddweud,' meddai Siôn. 'Roedd hi'n hoffi siarad, 'nd oedd?'

'Oedd, yn sicr,' meddwn, 'a finna'n hoff iawn o wrando arni.'

'Ia. Wel, weithia mi fydda yna dipyn o bynia yn ei straeon hi. Yn ôl pobol y fro doedd hi ddim yn brin o roi cynffon i stori.'

'Gwraig ddeallus iawn,' meddwn, 'ac wrth ddweud hanes teulu Ystumllyn roedd hi'n wybodus iawn ac yn f'argyhoeddi i fod yr hyn oedd ganddi i'w ddweud yn wir . . . '

'O, rwyt ti'n iawn. Gwraig ddeallus iawn oedd Lusa Joseff. Ond gad i mi egluro. Wyt ti'n ei chofio, Llew, yn rhoi'r argraff i ti bod Ellis Montague yn croesi'r moroedd i farchnata a'i fod yn *ship's doctor* ac yn dipyn o bycanîyr?'

'I fod yn deg, rŵan, dweud ddaru hi fod Ellis Montague o ran golwg yn debyg i bycanîyr a nid hi oedd yr unig un i sôn amdano fel meddyg,' meddwn wrtho.

'Wel, cyfreithiwr oedd Ellis Montague Wynn, un o'r Montagues enwog fel y gwyddost ti, Llew. Yn ôl be glywis i doedd o ddim yn allforio caethweision. Clywis ei fod yn berchennog cwch hwylia ysblennydd, nid llong, cwch hwylia anferthol, ac ar un o'i dripia tramor cyrhaeddodd arfordir Affrica. Yn fan'no daliodd Jac yn fachgen bach. Pysgota oedd o. Gobeithio dal sgodyn i'w fam i ginio roedd Jac, mae'n siŵr gen i. Teulu tlawd iawn efalla. A dyma'r Montague 'ma yn dŵad yn slei bach ac yn ei gipio fo. Wel, bycanîyr llawn llathan faswn i'n galw rhywun fel yna. Achos roedd cael hogyn du yn ffwtman yn ffasiynol yn Llundain lle roedd o'n byw. Ac isio bod yn y ffasiwn oedd y dyn heb os nac oni bai. Yntê? Wel, mi roedd Jac yn lwcus, 'nd oedd? Daeth yn ffwtman i un o deuluoedd cyfoethocaf Llundain lle cafodd gartref da a Meistr oedd yn meddwl y byd ohono.'

Yr oedd Siôn wrthi'n mwynhau tamaid arall o'r deisen. Ac yntau ar fin cymryd cegiad dyma fi'n ei brofocio, 'Wyt ti'n siŵr, yr hen Sionyn, nad wyt ti dy hun yn dy frwdfrydedd ddim wedi ychwanegu llinyn bach arall i'r stori?'

Bu bron iddo dagu wrth lyncu darn o'r deisen. 'Wel, falla 'mod i, do?' Chwarddodd. 'Ar y deisen 'ma mae'r bai yn peri i mi fynd i hwyl,' ategodd yn ysmala. Cafodd bwl o chwerthin a ninnau efo fo, rhaid cyfaddef.

'Fel yna'n union mae stori yn tyfu,' meddwn i, 'drwy ychwanegu pwt ati. Mae hi mor hawdd gwneud hynny heb feddwl weithia. Mae'n straeon ni, longwyr, yn profi hyn'na. Ond rwyt ti yn llygad dy le, Siôn, yn dweud bod Jac yn ffodus. Oedd, mi roedd o'n ffodus iawn i gael osgoi arferion rhai o'r llwythau yn ei fro enedigol.'

'Sut felly?' gofynnodd Siôn yn llawn chwilfrydedd.

'Wel, dyma i ti un enghraifft. Os oedd dyn wedi derbyn pump anaf mewn brwydr roedd yn rhaid ei aberthu i'r goeden sanctaidd lle tybid bod un o'r duwiau yn trigo. Enghraifft arall – os oedd dyn yn cael ei adnabod fel dyn dewr roedd ei galon yn rhywbeth i'w fwyta a'i groen a'i esgyrn i'w rhannu fel swynion i ysgogi dewrder. Roedd yno lawer o arferion annerbyniol ar gyfer merched a bechgyn. Waeth i mi heb â manylu.'

'Cael ei achub mewn ffordd ddaru Jac?' meddai Nelw.

'Ia, drwy ddod yn was i Montague. I ddechra, chafodd o mo'i frandio yr un fath â'r caethweision eraill ar y llong. Roedd gyrfa ffwtman efo Ellis Montague Wynn yn wahanol ac yn fwy diogel ac yn fywyd llawer mwy cyffyrddus. '

'Mae yna gymaint o hanesion am Jac, 'nd oes? Wn i ddim a gawn ni fyth wybod yr holl hanes, na'r holl wir, er i bawb wneud eu gorau – neu ddim – i ddod o hyd i hynny. Ond fel 'na mae hi,' meddai fy ngwraig yn dirion, gan roi tafell hael arall o'r deisen sunsur i ni'n dau ac estyn y tebot. 'Ddoi di ag Ann a Tom draw yma efo ti am bryd o fwyd yn o fuan, Siôn?'

'Ia wir,' cytunais, 'yn o fuan hefyd cyn i ti fynd yn rhy brysur efo'r dathlu mawr 'ma. Wnei di aros am swper heno efo ni?'

'Wel, diolch yn fawr,' atebodd Siôn, 'ond mae'n well i mi fynd adra. Mi soniaf wrth Ann. A bod yn ddifrifol rŵan, mae gen i beth hylltod o waith paratoi bora fory ac am y dyddia nesa ar gyfer y dathlu. Dyfal donc piau hi,' chwarddodd.

Wedi ffarwelio â Siôn, meddwn wrth fy ngwraig, 'Ty'd i ni gymryd hefr bach ar y soffa.' Roedd y soffa newydd yn gyfforddus. Ymlacio wnaethon ni.

'Brig dau fast falla . . . neu mae'n debyg sgŵnar tri mast . . . a chriw . . . '

'Gan Montague?'

'Ia. Nid chwara bach oedd mynd ar fordaith fel'na, wyddost ti. Roedd hi'n daith oedd yn gofyn am griw profiadol a chapten â gwybodaeth go helaeth ganddo am y moroedd.'

'Sydd yn dod â ni eto heb amheuaeth at stori Nain a phrofiada Jac a'i acownt o ohonyn nhw.'

'Mm . . . efalla . . . efalla . . . wrth gwrs, roedd Ellis Montague yn ŵr cyfoethog ac yn gallu fforddio . . . '

'A dyna ni wedi colli hen ffrind, yntê? 'Rhen Lusa annwyl. Wna i byth anghofio'r tro ola fu hi yma pan glywson ni sut aeth petha o chwith yn Ystumllyn.'

Yr hanes gawson ni gan Lusa y tro olaf hwnnw oedd bod Ellis Montague pan fu farw wedi gadael ar ei ôl ei weddw, Margaret Moyne Wynn, a dau blentyn. Bu farw'r ferch fach, bump oed, flwyddyn ar ôl ei thad. Roedd Nelw yn gofidio dros y teulu. Clywsom gan Lusa bod yn well gan Margaret Moyne fyw yn eu cartref yn Llundain, ond fel yr oedd y mab, Ellis, yn tyfu'n ddyn deuai'r ddau yn amlach i Ystumllyn. Daeth y mab yn Uwch-gapten yn y fyddin ond bu farw yntau – yn dair ar ddeg ar hugain. Claddwyd o yng Nghricieth, fis Medi 1790. Er i Margaret Moyne ailbriodi, collodd ei hail ŵr a gadawyd hi yn unig ar ei phen ei hun heb deulu.

'Mi ddioddefodd lawer, druan â hi. A phan werthodd hi'r stad dyna oedd diwedd y Wynniaid, yntê?' meddai Nelw. 'Neb ar ôl i warchod Ystumllyn.'

'Ia, felly roedd hi. Dim etifedd. Dyna sut aeth petha

o chwith. Hen deulu o hir dras fu â chysylltiad maith â theulu Lusa Joseff, cofia . . . Roedd hyn'na yn ddiwedd pennod i Lusa hefyd gan fod Ystumllyn wedi bod yn rhan mor allweddol o'i bywyd hi am flynyddoedd.'

'Sobor o drist ydi'r holl hanes . . . Popeth yn dibynnu ar etifedd . . . O, Llew, wn i ddim sut y medret ti aros yn Ystumllyn drwy'r nos ar dy ben dy hun. Erchyll o brofiad. Roedd cerdded i lawr Lôn Dywyll at y plasty efo ti yn ddigon i mi. Ac am y plasty, wel, carchar ro'wn i'n ei weld – carchar moel, du. Roedd arna i ofn y lle.'

Rhois fy mraich amdani. Syllem ein dau drwy ffenestr fawr y parlwr. Syllu'n hir mewn distawrwydd ar y bae islaw i ni. Roedd y môr yn ddigynnwrf a phobol allan yn cerdded yn hamddenol ar y tywod, rhai yn 'drochi, eraill yn dringo tua'r castell uchel. I fynd â'i meddwl hi oddi ar y trychinebau adroddais stori'r castell wrth Nelw – hardded oedd yr hen furddun adeg Hywel y Fwyall efo'i ffenestri gwydr lliw, ei dyra syth, balch i'w gweld filltiroedd i ffwrdd o gastell Harlech ac o wastadeddau arfordir Llŷn. Dwedais hanes arwrol Hywel – fel y brwydrodd yn ddi-ofn dros y Tywysog Du ym Mrwydr Poitiers yn y flwyddyn 1356 ac fel y gwobrwyodd y Tywysog o am ei wrhydri.

Eisoes caeodd Nelw ei llygaid. Teimlwn nad oedd hi'n gwrando arnaf. 'Wyt ti'n effro?'

'Ydw . . . Meddwl o'n i am Auntie Dora ac Uncle Declan. Pymtheg oed o'n i pan gollais Auntie Dora garedig. Gaeaf oer mis Ionawr a'r eira fel carped tew ar y ffyrdd. Roedd y ddau mor wych ... A phan o'wn i bron yn ddeunaw oed dyma Uncle Declan annwyl yn mynd ... trawiad ar y galon, ganol haf poeth a finna wedi mynd am y diwrnod i lan y môr . . . y tŷ mor wag ... ac ar ben hyn'na meddwl 'mod i wedi dy golli di hefyd ... ' Sychodd ei llygaid. Yna ychwanegodd yn dawel, ysgafnach, 'A fynno Duw a fydd . . . '

Rhoddais fy mreichiau amdani. 'Rwyt ti'n werth y byd i gyd yn grwn.'

'Ond mae yna rywbeth ar dy feddwl di hefyd, 'nd oes, Llew?'

Edrychais yn ei llygaid meddal. 'Wel, oes, 'mechan bach i, gan dy fod ti'n gofyn. Un arw am synhwyro wyt ti, Nelw. Oes, mae un peth. Ceisio dyfalu ydw i sut ar y ddaear fawr ddoist ti o hyd i dŷ dy nain a thitha wedi bod yno ddim ond unwaith, a hynny pan oeddet ti'n wyth oed ac yn cychwyn o Lerpwl. A dydi o ddim yn lle hawdd i ddod o hyd iddo ar y gora, Wylan fach.'

Roedd Nelw'n gweld y cwestiwn yn un digri iawn. Chwarddodd, 'Yr unig beth rydw i'n ei gofio am yr adeg honno ydi bod y siwrna i'w theimlo yn ddi-ben-draw. Dal llong o ddocia Lerpwl i rywle, ac o fan'no dal y goets fawr, oedd yn cludo'r post, i rywle arall ac wedyn cerdded am hydoedd.'

'Felly,' meddwn, 'sut ar y ddaear fawr ddoist ti i Gaecregyn yr eildro?'

'Wel, ar ôl deall nad oeddet ti ar dy long yn cyrraedd Lerpwl mi es adra i wnïo ac i chwilota ymysg papura Mam. Roedd Uncle Declan wedi cadw popeth oedd ar ôl i mi wedi i Mam a 'Nhad fynd. A dyna fi'n dod ar draws llythyr gan Nain yn gofyn i Mam fynd draw yno a chofio dod â fi efo hi, bod arni eisia fy ngweld i. Ac wrth gwrs, roedd cyfeiriad Nain ar ben y llythyr. Efo hwnnw yn fy llaw y dois i, i Gaecregyn.'

'Wel, wel. Dyna ni eto. Nain yn llenwi bwlch unwaith yn rhagor. Mae'r Drefn yn rhyfeddol.'

'Ydi, Llew, 'nghariad i, yn wych a rhyfeddol, yn gofalu droson ni'n dau, a wyddost ti, roedd Nain yn iawn. Ein hamser ni ydi hi rŵan,' sibrydodd Nelw gan glosio i 'nghesail.

'Ia, Wylan fach, a diolch i Dduw am hynny.'

XXIV: Y Dathlu

Gwawriodd dydd y dathlu mawr. Mynnodd Siôn ein bod ni'n ymuno ag ef ac Ann, a'r boneddigion, yn yr holl seremonïau. Roedd Siôn fel dyn o'i gof yn trefnu'r cwbl a chant a mil o alwadau arno o bob cyfeiriad.

Wrth edrych yn ôl, cofiaf y gwleddoedd yn y Madocks Arms a'r dawnsio yn y Neuadd a Nelw yn rhyfeddod o dlws. Y ddrama yn y Theatr a'r Eisteddfod ar y Sgwâr eang yn yr awyr agored. Roedd y Sgwâr mor llawn o gystadleuwyr ac o gynulleidfa fel na ellid anadlu bron. Ond yr hwyl gawson ni!

Anterliwt gan ryw Dwm o'r Nant i ddechrau, un o'r gweithwyr. Wedyn rhyw gymeriad efo'r ffugenw Hercules, rêl wag, yn ennill y Gwpan Arian am ganu'r delyn a Dewi Wyn o Lanystumdwy yn ennill ar yr awdl am 'Amaethyddiaeth'.

Cofio'r fonllef ddaeth o gyfeiriad y rhai fu'n ymegnïo i adeiladu'r morglawdd pan enillodd Dafydd Ddu Eryri y wobr am awdl i'r Morglawdd . . . a hwy yn anad neb oedd yn haeddu'r gymeradwyaeth.

O, sôn am firi. Roedd tafarnau'r Sgwâr yn agored drwy'r Eisteddfod. Cafodd Nelw ddigon ar y siang-di-fang a daeth Siôn i'n hachub ni drwy ein harwain at y cerbyd a aeth â ni i Forfa Bychan i'r rasys ceffylau – y 'rasys ceffyla uffar' fel y cyfeiriodd Huw Dafydd atynt flynyddoedd yn gynt. Rhannu'r jôc efo Nelw a chwerthin yn iach ein dau. Mor braf oedd hi yno yn cyfarfod hwn a'r llall heblaw'r cyffro wrth wylio'r ceffylau yn rhedeg. Cofio rhoi bet yn ffraeth ar un neu ddau ac ennill ar y Black Boy a Nelw yn chwerthin.

A dyna'r orymdaith fythgofiadwy o Dremadog i'r morglawdd, pellter o filltir o leiaf ar hyd ffordd newydd sbon, wastad. Ar y pen blaen gorymdeithiai'r band pres yn llawn gorfoledd. Wedyn, mewn cerbydau crand agored a cheffylau gwynion yn eu tywys, Alexander Madocks a'i griw, yna Siôn Sceifiog a'i wraig a Nelw a fi mewn cerbyd ar ein pennau ein hunain a dau geffyl du hardd yn ein harwain. Yn ein dilyn ni deuai rhyw hanner cant o gerbydau eraill yn llawn o fyddigions a'u gwragedd a'u parasôls efo nhw. Yn olaf o'r rhain, a ddylasai fod ar flaen yr orymdaith frenhinol hon, yn fy marn i, roedd y gweithwyr yn cerdded, dros dri chant ohonynt a phob un yn gwisgo siwt ddu newydd, rhodd gan Madocks.

Ymlaen â ni a chyrraedd y morglawdd lle'r oedd moroedd o sbri. Cannoedd o bobol a'r haul yn tywynnu. Gwledd fawr eto mewn pabell enfawr a'r gweithwyr mewn pabell ar wahân – dyn a ŵyr pam.

Aethom i'r gwasanaeth hefyd yn yr eglwys a adeiladodd Madocks. Doedd eglwys bitw Penmorfa ddim yn agos ddigon mawr ar gyfer rhwysg fath â hwn! Wrth fwynhau gwrando ar y côr o Fangor yn gorffen canu dan arweiniad Dr. Pring, cododd Nelw ei haeliau arnaf a chan ddeall ei neges dyma ni'n llithro allan ein dau. Roedd pregeth y Parchedig Martin Sheath o Boston wedi bod yn nes at agoriad y gwasanaeth hir o ddiolchgarwch addas iawn.

Canu, siarad, hwyl a chwerthin oedd yn llenwi'r Sgwâr.

‘O Llew, ’nd ydan ni’n cael amser ardderchog! Yr awyr yn las, las. Dim un cwmwl.’

‘Hapus felly, Mrs. Morgan?’

‘Dros ben, Captan.’

‘Ydi hi’n addo tywydd braf, Mrs. Captan Morgan?’

‘Ydi, mae hi.’

‘Pryd ydach chi’n disgwyl hwylio tuag Ystumllyn, Mrs. Captan Morgan?’

‘Efo’r wawr fory.’

‘O, fory?’

Chwarddodd Nelw gan ysgwyd ei phen, ‘Nage wir! Does gen i fawr o awydd mynd i fan’no. Mae’n well gen i dy glywed ti’n dweud yr hanes.’

‘Does bosib.’

‘Wel, falla mai ei ddarllen fyddai’r peth gora i’w wneud. A mae’n rhaid i ni ystyried hyn, Llew – na fyddai’n hanes ni, na hanes Nain, na hanes Lusa ddim yn bod o gwbl heb John Ystumllyn.’

‘Mm? Wel . . . ia . . . rwyt ti’n iawn . . . John Ystumllyn ydi asgwrn cefn yr holl hanes, wrth gwrs.’

‘Felly wrth sgrifennu, wnei di roi’r hanes i lawr yn fanwl,’ edrychodd arnaf â’i llygaid du’n serennu, ‘ar gyfer . . . ein hetifedd ni, Llew, pan gei di gyfle?’

Llonnais drwof. ‘O, mi wnaf, Nelw, siŵr iawn. Pan ga i gyfle mi wnaf.’

Wrth i ni gerdded y Sgwâr yn llygad yr haul law yn llaw, gwyddwn â chalon lawn na fyddai fy mywyd fyth eto yn fordaith ddiamcan.

XXV: Llythyr

Ar fwrdd y 'Poli Jo', Lerpwl.
Tachwedd 1837

Annwyl Dan,

Codi angor unwaith eto. Daeth Mair a Sara i'm hebrwng i Lerpwl a chael cyfle i gerdded y dec cyn cychwyn am adref. Bendith arnoch chi i gyd, fy mhlant annwyl i.

Da clywed gan Sara y cododd rhyw ymgno yn fy ŵyr peniog, Lewis, am fynd i'r môr yn un ar bymtheg oed. Cofiaf ef yn hogyn bach ar fy nglin yn chwarae efo 'marf i ac yn dweud ei fod ef am dyfu barf a mwstásh a chael cetyn yn ei geg pan fyddai'n ddyn. Hwyl iddo!

Mae'r 'Poli Jo' â'i hwyliau'n llawn yn symud yn dda. Dylem gyrraedd yr Horn heb anhawster.

Gobeithiaf y cei di fordeithiau llewyrchus yn cludo'r llechi. Cofia gadw dy lygad ar y llwytho. Synnwn i ddim pe bai'r diwydiant llechi yn datblygu digon i gadw llongau di-rif yn brysur yn croesi'r moroedd am flynyddoedd maith. Dridiau yn ôl es draw at fedd dy fam dirion. Gwynt a glaw ar y topia yr un fath â'r tro cyntaf y cerddais drwy'r fynwent. Cofiaf un flwyddyn pan aeth dy fam a minnau yno yn llygad yr haul ar bnawn llonydd o hydref. Pob man yn glir. Dweud ddaru hi nad oedd cornel well yn y byd i orffwys ynddi ar derfyn dydd. 'A fynno Duw a fydd,' meddai hi yn ôl ei harfer. A dyna a ddywedaf innau hefyd. Cymer ofal ohonot dy hun, 'ngwas i, a bendith Duw arnat.

Dy Dad,

Lewis Morgan

Atodiad

Cafodd y ddau flynyddoedd hapus iawn efo'i gilydd.

Bu farw fy mam, ei 'Wylan fach', un noswaith dyner o haf.

Mewn gwyllltfil o storm, a rwygodd ei long hwyliau ar greigiau gwancus arfordir Chile, y daeth dyddiau hwylio fy nhad, Capten Lewis Morgan, i ben. Dychwelodd adref. Gwelid ef rai dyddiau yn pysgota yn y bae, adegau eraill yn eistedd yn yr ardd, y teulu o'i gwmpas, yn gwylio'r môr a'i donnau, ei gap llongwr am ei ben a'i getyn yn ei geg.

Gorffwys y ddau yn yr un bedd, ym mynwent dawel, hynafol Eglwys Mihangel.

Dan Morgan

NODIADAU

I
Dyddiadur 1820

Ystumllyn: adeiladwyd gan Ellis ap Cadwaladr yn 1597 ar dir oedd yn eiddo i'w hynafiaid ers cenedlaethau. Gresham, Colin A., *Eifionydd: A Study i Landownership from, the Medieval Period to the Present Day*, Cardiff University Press, 1973.

Y Morrisiaid: llythyr Lewis at ei frawd, William, Hydref,14, 1754:

> I have heard it confirmed by very sober men in Merionethshire that Mr. Wynne of Ystumllyn can do some surprizing things which are called supernatural, by producing the appearance of distant persons, not that they are perhaps really above nature, but that they are done by some means that are commonly not known, or can be accounted for as electricity or magnetism are secrets of that kind, though really natural. Be so good as to let me know the common opinion of your part about Mr. Wynne, and whether he really performed those things before sober, sensible, sedate men.

Llythyrau'r Morrisiaid Detholiad ar Gyfer Ysgolion, Gwasg Prifysgol Cymru Caerdydd, William Lewis Argraffwyr (Caerdydd), 1940.

V

Y Dyddiaduron a'r Llythyrau – Cat Wynn

Catrin o Fraganza: merch brenin Portugal, gwraig Brenin Charles II.

Bronfoel: cartref Hywel ar lethr Moel y Gest cyn Brwydr Poitiers (1356).

Y gwrthryfel: 1642-51.

Arfbais: Yn erthygl Ellis Owen, Cefnmeysydd, 'Ystumllyn and Bron-y-Foel IN THE HUNDRED OF EIFIONYDD AND THE COUNTY OF CAERNARVON' ceir y geiriau hyn:

> The Arms are Quarterly, 1st and 4th, Sable, a Chevron between Fleurs-de-Lys, Argent, three Lozenges in Fess Gules, within a Bordure Sable for Montague, 2nd and 3rd, Or, An Eagle displayed, Vert for Monthermer – a Crescent for Difference. Crest on a wreath, Argent and Sable, a Dexter hand, armed proper, holding a battle-axe.

Motto *Quod tibi, hoc alteri*

Sylwer bod darn o'r arfbais yn cyfeirio at Montague. Ychwanegwyd hwn, mae'n debyg, pan ddaeth y teulu Montague yn rhan o deulu'r Wynniaid.

VI

1694

si vale bene est/SVBE – os wyt ti/ydych chwi yn iach popeth yn dda.

Cura ut valeas – cymer ofal o'th iechyd; gall hefyd olygu 'ffarwél'.

Montague House: cartref y teulu Montague. Yn yr adeilad hwn y sefydlwyd yr Amgueddfa Brydeinig (*British Museum*), Llundain.

VII
Mag Wynn

Testun pregeth yr Esgob Humphrey Humphreys yn Abaty Westminster oedd Hosea, pennod X, adnod 3: 'For now they shall say, We have no king, because we feared not the Lord. What then should a king do to us?'

Collwyn ap Tango/Tangno: Arglwydd Eifionydd, Ardudwy a Llŷn, pennaeth y pumed o'r pymtheg llwyth. Blodeuai yn yr unfed ganrif ar ddeg. Preswyliai yn Nhŵr Branwen, Harlech. Ailenwodd y dref ar ei enw ef ei hun sef Caer Collwyn: ei arfbais - du a chwpl arian rhwng tri o flodau elestr, *fleur de lys*.

1701, Awst,14: cath goed: (*felis catus*) anifail ffyrnig iawn a chryf; côt gochlyd a rhesi du ar draws ei gorff ac o amgylch ei gynffon drwchus, dew; corff 48-80 cm., cynffon 27–35 cm., i'w gweld yng ngogledd yr Alban heddiw, yr unig le ym Mhrydain bellach.

1701, Hydref, 19: Syr Hywel y Fwyall – disgynnydd Collwyn ap Tango. Roedd gyda'r Tywysog Du ym Mrwydr Poitiers, 1356. Ymladdodd yn ddewr gyda'i fwyell-ryfel (*battle-axe*). Gwobr y Tywysog Du iddo oedd llywodraeth Castell Cricieth a'i urddo'n farchog; gorchmynodd fod saig (gwledd) i'w gosod yn rheolaidd o flaen y fwyall i goffáu gwrhydri Syr Hywel a gosgordd o wyth o rydd-ddeiliaid i wylio'r saig. Yna ei rannu i'r tlodion. Parhaodd yr arfer am flynyddoedd ar ôl marwolaeth Syr Hywel. Thomas, Nicholas, *Annals and Antiquities of the Counties and County Families of Wales, Volume 1,* Longmans, Green, Pender & Co, Paternoster Row (1812). Hefyd Alltud Eifion, *Y Gestiana*, adargraffiad Gwasg Tŷ ar y Graig, Porthmadog, 1975.

XVII
Stori Jac

baracŵn: S. 'barracoon, a fortified African slave-house'.

XIX
Ar Goll

wrth Pwll Glöynlas – cynefin y glöyn byw glas

Eglwys Ynyscynhaiarn gan John Griffith Williams.
Codwyd o adargraffiad *Y Gestiana*, Tŷ ar y Graig, 1975.

Page

(The Year 17)

No. 44 } David Evan of the Parish of Llanymawddwy in this County Bat. & Catharine Griffith of this Parish Spinster
Married in this Church by Licence were
this Thirteenth Day of February in the Year One Thousand Seven Hundred
and Sixty Eight By me John Tamberlain Rector
This Marriage was solemnized between Us { David Evans
The Mark of Catharine Griffith
In the Presence of { Peter Lewis
Howel Lewis

No. 45 } John Ystimllyn of the Parish of this County
Married in this Church by Licence were
this Ninth Day of April in the Year One Thousand Seven Hundred
and Sixty Eight By me John Tamberlain Rector
This Marriage was solemnized between Us { The Mark of John Ystimllyn
The Mark of Margarett Griffith
In the Presence of { John Pugh
Peter Lewis

Cofrestr priodas John Ystumllyn â Margaret Griffith, 1768.
Archifdy Dolgellau.

YSTUMLLYN, & BRON Y FOEL, *Ynyscynhaiarn.*

Collwyn ap Tangno, Lord of Ardudwy, and Eifionydd.=Modlan Benlydan, d. of Cynan Feiniad son of Gwaithfoed Fawr, of Powys, great-grandfather of Bleddyn ap Cynfyn, Prince of North Wales and Powys, ob. 1073.

Merwydd. — Gwgan. — Einion. — Meredydd. | Iorwerth.

Einion. — Gruffydd. — Llewelyn Vychan. — Adda.=Tudo, d. and h's. of Ieuan Gôch, of Traws y coed, co. Cardigan. — Meredydd, ancestor of the Earls of Lisburne.

Ednowain.

Howel, of Bron y foel.=Gwenllian, d. of Gruffydd ap Ednyfed Vychan. | Iorwerth, ancestor of the Evans', of Plas Tan y Bwlch. p. 252.

Ieuan, of Henllys in Cefn y Fan, now called Ystumcegid.= . . . | William, of Pennarth. | Gruffydd ap Howel.=Angharad, d. of Tegwared y Bais Wen.

Eva, co-h's.=Howel ap David of Pen y fed. p. 210. | Alson,=Goronwy ap co-h's. Hwfa, of Hafod y Wern. | Gwenllian,=Ieuan ap Gruffydd, of co-h's. Cefntreflaeth, now called Cefn Isaf. p. 394.

Einion ap Gruffydd, of=Nest, d. and co-h's. of Gruffydd ap Adda ap Bron y foel, Sheriff for co. Carnarvon 1354-6. Gruffydd ap Madog ap Cadifor ap Cynhillin ap Gwaithfoed, Lord of Cwm. | Sir Howel y Fwyall, Kt., *temp.* Edward III. | Ieuan, ancestor of the families of Madryn and Plas Du. pp. 205, 242.

Ieuan ap Einion, of Bron y foel, H.S.C. 1389, etc., *temp.* Richard II. p. 273.=Gwenhwyfer, d. of Ynyr Vychan, Lord of Nannau. p. 200. | Rhys, of Dol y Penrhyn. | Nest.

Howel Vychan, of Bron y foel.=Angharad, d. of Llewelyn (Ieuan in some MSS.) ap Howel ap Cynwrig, of Llwydiarth, in Anglesey. p. 103. | Rhys, of Chwilog. | Grono, of Gwynfryn. p. 164. | Madog, of Abercain. p. 170.

Rhys ap Howel, of Bron y Foel.=Gwerfyl, d. of Rhys Gethin, of Hendre Rhys Gethin, near Bettwsycoed.

1st, Margaret, d. of Robert ap Meredydd,=Howel ap Rhys, of=2nd, Margaret, d. of Tudur of Cesail Gyfarch. She died soon after marriage, s.p. | Bron y foel, died at Penmachno. | ap Gruffydd ap Einion, of Ardudwy. | Gruffydd, of Sylfaen. | Catherine.=Ieuan ap Robert ap Meredydd, of Cesail Gyfarch. p. 236. | Robert.= . . . , d. of Dafydd Vychan ap Howel ap Madog ap Iorwerth Gôch, of Mochnant. | Dau.=Morgan ap Llewelyn ap Edward ap Grono, of Maelog.

1st, Catherine, d. of=Rhys ap Howel,=2nd, Margaret, d. of Hugh Conwy, Llewelyn ap Ithel, of Plas-teg, in Ystrad Alun. p. 254. | died at Llanrwst. | of Bryneuryn, relict of Reinallt ap Meyrick, of Glanlligwy, near Gwydir. p. 290. | Catherine.=David ap Llewelyn. p. 224. | William Lloyd,=Elizabeth, d. and h's. of Gwern-engan. p. 232. of Gruffydd ap John ap Meredydd, of Issallt. p. 236. | Gwenhwyfer.=Edward ap Jenkin, of Trawsfynydd. | Maud.=Gruffydd Wynn, of Sylfaen. | Margery.=David Ellis Eyton. | Margaret.=Lewis ap Howel Wynn. | Elin =John Owen. p. 232.

Jane.=Richard ap Ifan ap John ap Heilyn, of Penmachno. — Margaret.=Lewis Anwyl, of Park. p. 241. | Jonet.=Owen ap John ap Meredydd, of Ystumcegid. p. 232.

Thomas ap Rhys, of Bron y foel; had £1500 per annum; he sold all his mother's land in Hopesland, ob. at Hopesdale, co. Flint.=Agnes, d. of Ieuan ap John ap Meredydd, of Brynkir. p. 251. | Catherine.=Thomas Salusbury, of Llanrwst.

Cadwaladr ap Thomas,=Eleanor, d. of Rhydderch ap David, of Myfyrian died at Chester. in Anglesey, *temp.* Henry VIII. p. 115. | John Wynn.=Gwen, d. of John ap Evan. | Robert Wynn, of Rhwng=Jane, d. of Robert ap Ellis ap y ddwyryd, ob. 1625. Morris, of Clenenney. p. 218. | Margaret.=Owen ap John ap Howel Vaughan, of Llwydiarth, and Caergai. | Evan. | Rhys.

Ellis ap Cadwaladr, of Ystumllyn, died at Brecknock,=Elin, d. of Owen Wynn, of Cae Milwr, ob. 1638. Her 1597, will proved at P.C.C. Sept. 17, 1597. mother was Elin Salusbury, of Cae Milwr. p. 288. | William. | Lowry.=Owen ap Robert ap John Wynn. of Trefan. p. 163.

A

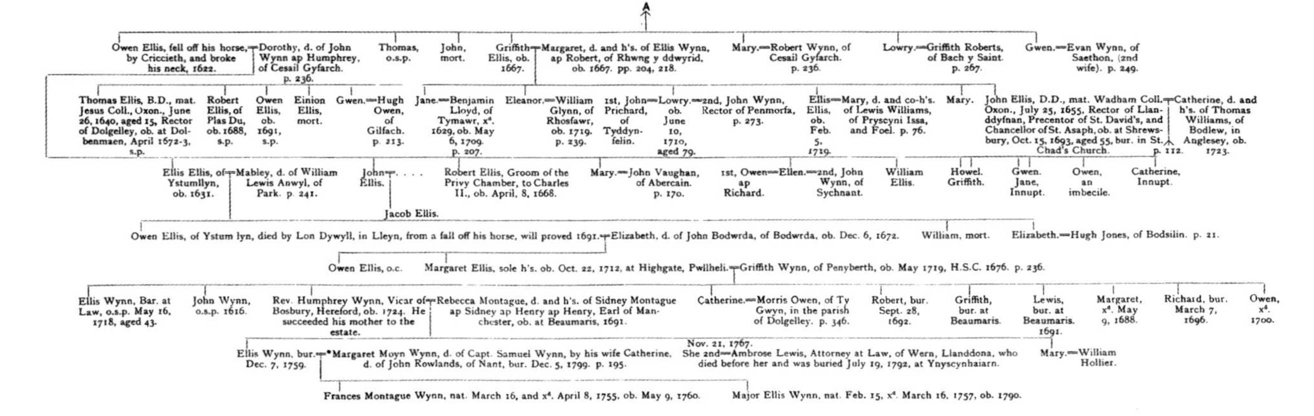

* Margaret Moyn Wynn, made an agreement with Humphrey Jones, Solicitor, Machynlleth, (For Humphrey Jones' Pedigree, see Montgomery Collections. Vol. XXV., p. 306, &c.), by virtue of which the Estate came into his possession, and with her death the family of Ystumllyn became extinct. In the year 1837, the Ystumllyn estate was sold by an order of the Court of Chancery, and was purchased by Rowland Jones, of Broom Hall, in Eifionydd. The portrait of Howel y Fwyall, and his Arms, were removed from Ystumllyn to Broom Hall.

Arfbeisiau'r teulu.

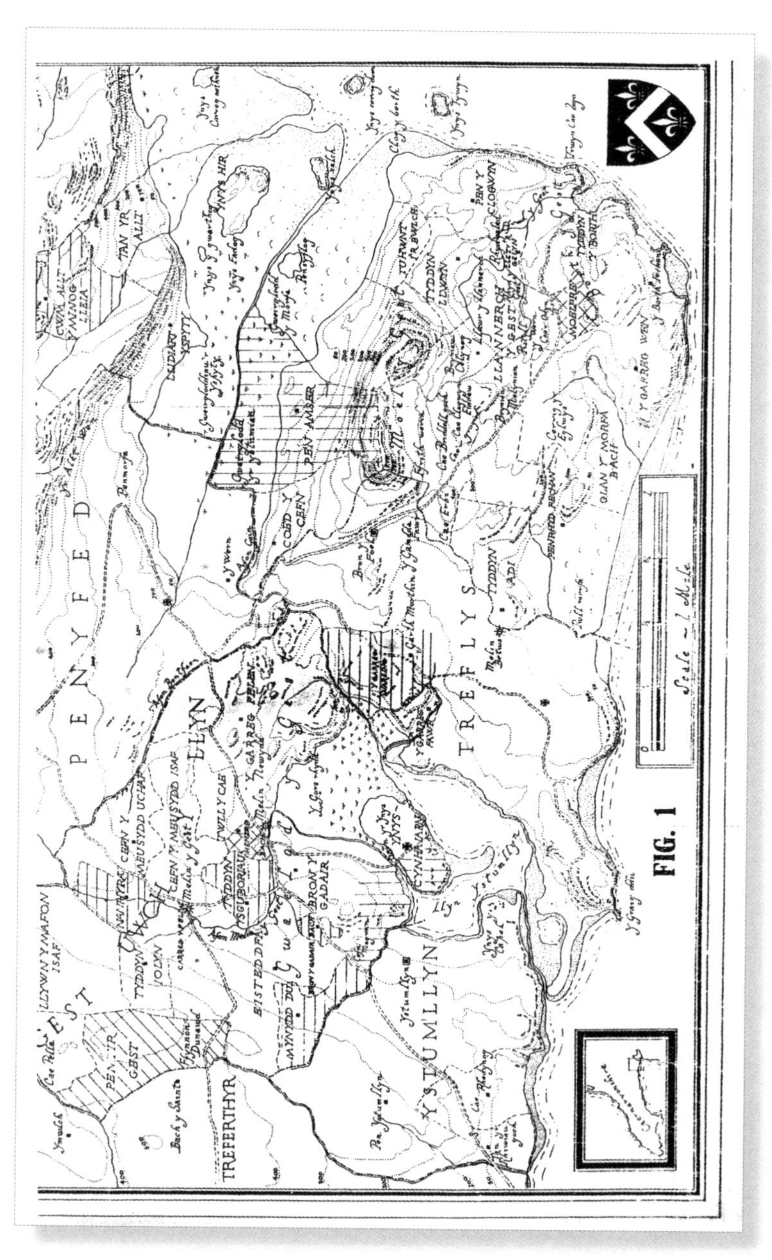

Rhan o fap Ardal y Gest gan Colin Gresham.

Tŵr Eglwys a phentref Bosbury.

Dydd Nadolig 1694

Christmasse day 94

God send you a merry Christmass

Dear Sister

I received yrs last night by which I understand one of mine is miscarry'd or mislayd as since several of my letters, to other people, one I sent p Lewis was near a fortnight coming to his hand & another to mrs Anwill 3 weeks, but whoever stops ym will not find it worth while.

I was melancholy enough wn I had yrs the sicknesse of that excellent princesse the Queen terrifyd us all, it was thought to be ye small pox: but god be praysd shee had a very good night last night & this morning they say it is ye measles however god be blessed she was hearty the new ArchBp was to pray with her (as he doth every morning & evening) & three of us wth him, she coughd much & her eys were sore but spoke heartly enough the King was extreamly affected wept like a child & declared he cared not wt became of ye world if any thing amisse happen'd to her. he hase ordered his field bed to be set up at her beds feet & there he lyes by her. I had ye honour to preach to him this morning in his private chapel or closet at Kensington. he received ye Sacramt wth extraordinary devotion & it was visible how much concern'd he was. all this is to explain ye prayers wch are enclosed for Nancy who I hope will use ym wth all the Devotion shee is capable of. you say nothing of Nancy Wyns businesse, tho I told you my thoughts in my last concerning it.

I pray let mee know wt steps are made in it: it is hoped ye Session of parliamt will be short & I long to be rid of ye town & shall hasten to Bangor as fast as I am able with Gods assistance. [illegible] Jon Wyn 3 times as you could have him: I have bin well I blesse God hitherto except yt my late sitting up last week gave mee ye headach a little [illegible] my thanks for my [illegible] this morning [illegible] to conclude with my blessings to yrs & Nell & Bidy & prayers [illegible] yr obliged affectionate [illegible]

H Bangor

Llythyr anfonodd yr Esgob Humphrey Humphreys o Lundain at ei chwaer yn Sir Fôn, Dydd Nadolig 1694.

William Alexander Madocks, tua 1812.

Yr Wyddfa ar draws y Traeth Mawr, tua 1823.